D1105485

Jane Pettigrew's
TEA TIME

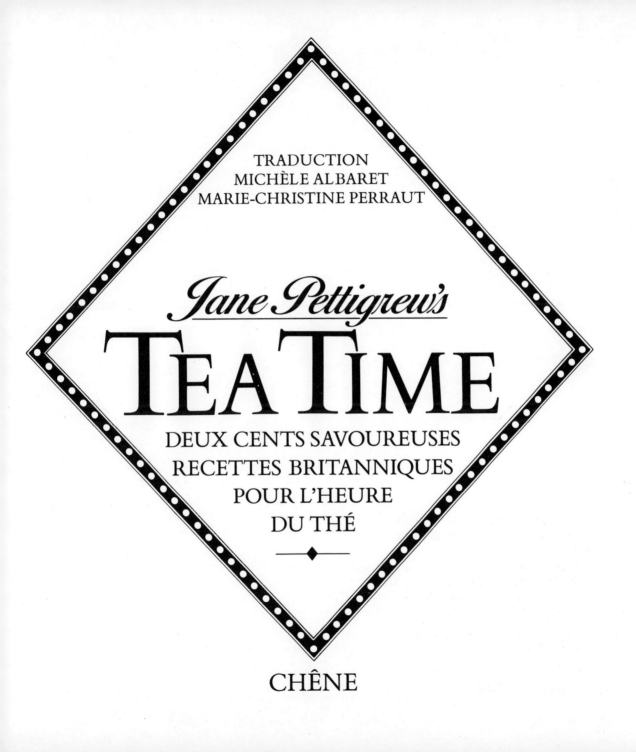

TRADUCTION
MICHÈLE ALBARET
MARIE-CHRISTINE PERRAUT

Jane Pettigrew's

TEA TIME

DEUX CENTS SAVOUREUSES
RECETTES BRITANNIQUES
POUR L'HEURE
DU THÉ

◆

CHÊNE

Photographies de James Murphy
Illustrations de Antonia Enthoven

Dépôt légal : n° 1733 - mars 1989
ISBN : 2.85108.483.6
34/0644/4

Imprimé à Hong Kong

SOMMAIRE

PRÉFACE

Pour couper l'après-midi, quoi de plus rafraîchissant et de plus revigorant qu'une bonne tasse de thé? Mais bannissons cette pratique moderne qui consiste à jeter précipitamment de l'eau bouillante sur un petit sachet et préférons faire du rituel du thé un moment de détente privilégié, en compagnie d'amis, autour d'une table agréablement décorée.

Lorsque, en 1983, nous avons ouvert le Tea-Time, nous avons cherché à recréer l'atmosphère et le style des salons de thé de l'Angleterre des années trente et quarante. Nous voulions que notre clientèle puisse déguster tranquillement une tasse de thé accompagnée d'une pâtisserie ou d'un sandwich, tout en écoutant une musique agréable. Cette formule est, du reste, un succès puisque nos hôtes semblent ravis de retrouver le décor d'une autre époque. «Respecter les règles de l'art» les enchante, nous avouent-ils parfois.

Récemment, nous avons encore élargi la gamme des thés proposés au Tea-Time, afin de mieux répondre à la curiosité croissante de notre clientèle. Pour ce faire, j'ai bénéficié de l'aide précieuse de Sam Twining, de la célèbre société du même nom. Qu'il soit ici remercié pour m'avoir consacré son temps et ses encouragements lors de la rédaction de cet ouvrage.

LE THÉ
A L'ANGLAISE

En Grande-Bretagne, le thé l'après-midi est devenu un véritable rituel. Cette coutume aurait été instaurée au XIXe siècle par Anna, duchesse de Bedford, septième du nom. A l'époque, l'on déjeunait fort tôt et l'on dînait fort tard, rarement avant huit ou neuf heures du soir. La duchesse, que la faim agaçait, prit donc l'habitude de déguster chaque jour, entre trois et quatre heures de l'après-midi, une tasse de thé accompagnée d'une collation. Bientôt, elle invita ses amis à partager ces en-cas et c'est ainsi qu'elle lança une mode.

Aujourd'hui, comme au temps de la duchesse de Bedford, la maîtresse de maison dresse, en l'honneur de ses invités, une table recouverte d'une jolie nappe sur laquelle trônent le service en porcelaine, l'argenterie, les serviettes et les fleurs. Pour prévenir les désirs de ses hôtes, elle n'oubliera ni le lait, ni le citron.

Quant à la collation servie, elle dépendra de l'heure, du lieu et de la saison. Une tea-party, en été, appelle les sandwiches, les scones et, bien sûr, les fraises à la crème partagés autour d'une table dans le jardin. En hiver, en revanche, c'est auprès d'un bon feu que l'on se réunit pour savourer des toasts croustillants, des crumpets et des muffins beurrés, des cakes aux fruits confits et des pains fantaisie à grignoter avec du beurre, du miel ou des confitures maison.

LE THÉ

Vous trouverez ici tout ce qu'il vous faut savoir sur le thé: ses différentes variétés, la manière de le préparer ainsi que diverses boissons à base de thé.

♦ LE THÉ A TRAVERS LE MONDE ♦

Il existe trois grandes catégories de thé: les thés noirs ou fermentés, les oolongs ou semi-fermentés et enfin les thés verts, non fermentés. Chacune de ces familles regroupe nombre de variétés à l'arôme bien particulier que l'amateur choisira en fonction de ses goûts et du moment. On ne saurait boire, en effet, un Darjeeling le matin pas plus qu'on ne verserait du lait dans un thé vert.

Nous distinguerons maintenant trois sortes de thé: les grands seigneurs à feuilles entières, puis les thés à feuilles brisées ou *broken* et enfin les thés à feuilles broyées, *fannings* ou *dust,* qui pour la plupart entrent dans la composition des sachets. Aujourd'hui, on trouve cependant des sachets offrant un thé de meilleure qualité.

LES THÉS NOIRS

Le thé noir fait l'objet de diverses manipulations. Tout d'abord, le flétrissage, qui commence dès la cueillette, puis le roulage, qui a pour but de rouler les feuilles dans le sens de la longueur et de briser leurs cellules afin d'en libérer les huiles essentielles qui permettront, après criblage, de passer à l'étape suivante : la fermentation. Dès que les feuilles auront pris une couleur brun cuivré, il faudra immédiatement les entreposer dans les séchoirs où aura lieu la dessication qui doit stopper la fermentation. Durant cette opération, les feuilles prennent la teinte sombre que nous leur connaissons tandis que leurs sucres se caramélisent, donnant au thé noir sa saveur bien particulière.

Le thé noir est plus riche en théine que le oolong ou le thé vert, mais beaucoup moins excitant que le café. En Grande-Bretagne, on a coutume de le servir accompagné de lait bien que les grands thés de Chine, tels le Lapsang Souchong et le Yunnan, s'en passent fort bien.

Parmi les thés noirs les plus connus, nous citerons :

Assam Provient du nord-est de l'Inde. Feuilles sombres et fragiles à l'arôme vigoureux. Excellent thé du matin à consommer avec du lait ou du citron.

Ceylan Les grands seigneurs de Ceylan sont parmi les plus réputés. D'une belle couleur dorée et d'une saveur délicate, ils conviennent à toutes les heures de la journée. A servir avec du lait ou du citron.

Chine Caravane Grand classique des thés de Keemun qui a, parmi les premiers, emprunté la route des caravanes. Non fumé, léger en théine, il donne une boisson au goût chocolaté idéale l'après-midi et le soir.

Darjeeling Grands seigneurs du Bengale occidental, cultivés sur les premiers contreforts de l'Himalaya, ils sont parmi les plus prestigieux. A déguster nature pour apprécier leur incomparable subtilité qui rappelle la saveur et le moelleux du muscat. Conviennent à toute heure du jour... ou de la nuit.

Earl Grey Mélange de thés de Chine auquel on a ajouté de l'essence de bergamote. Il doit son nom à un ministre des Affaires étrangères de Grande-Bretagne du XIX⁽ siècle, Édouard Grey, qui appréciait tout particulièrement son arôme délicat. Mieux vaut le déguster nature. Convient parfaitement l'après-midi.

Mélange anglais Fin mélange de thé indien et de Ceylan, assez corsé, idéal dès le réveil. Meilleur avec du lait.

Mélange irlandais Mélange de thés de l'Assam. Très corsé. A consommer avec du lait au petit déjeuner.

Keemun Excellente variété de thé de Chine provenant de la province de An-hui, au nord-ouest de Shangai. Il donne une liqueur très légèrement chocolatée, fruitée et délicate. A consommer avec ou sans lait, l'après-midi ou le soir.

Kenya Thé cultivé en altitude et dont la qualité est plus qu'honorable. Il offre une boisson cuivrée au goût très fin qui convient à toute heure de la journée. A déguster de préférence avec du lait.

Lapsang Souchong Le meilleur Lapsang Souchong provient de la province de Fujian en Chine. Ce grand seigneur a un arôme fumé très particulier. Mieux vaut le savourer nature, à la rigueur avec une rondelle de citron. Particulièrement apprécié en été, au grand air ; il est excellent l'après-midi ou en début de soirée.

Orange Pekoe Le terme Pekoe ou Orange Pekoe fait en réalité référence aux différents types de cueillettes pratiquées. Pekoe provient du chinois *Pek ho* (cheveu blanc) et désigne le bourgeon terminal de chaque rameau. Ce terme sert aussi à caractériser le léger duvet blanc ou jaune qui recouvre les feuilles les plus fines, et donc les plus prisées. Voilà pourquoi l'on parlera d'Assam Orange Pekoe ou même de Darjeeling Orange Pekoe. De nos jours, cependant, une confusion prévaut et bien des gens pensent qu'il s'agit là d'une variété de thé. On vend ainsi sous cette appellation du véritable Souchong. Il arrive également qu'on le mélange à du thé au jasmin pour corser son arôme.

Rose Pouchong Provient de la province de Guangdong, au sud du Fujian, sur la côte sud-est de la Chine. Les feuilles sont mélangées à des pétales de rose et l'ensemble donne un résultat délicatement parfumé.

Thé de Russie Souvent appelé thé de Géorgie, sa région d'origine, il n'a guère d'originalité et mieux vaut le consommer avec une rondelle de citron. A ne pas confondre avec le Goût Russe ou le Goût Russe Kalinka.

Yunnan Ce très grand seigneur est souvent surnommé le moka du thé par les connaisseurs. Il donne une boisson dorée, d'une saveur inégalable. A boire de préférence nature. Quant à l'accompagner de lait ou de citron, les avis sont partagés.

LES OOLONGS

Ces thés semi-fermentés présentent des feuilles longues et bien roulées donnant une boisson à l'arôme naturellement fruité. Ils proviennent de Formose ou de Chine populaire, et principalement de la province de Fujian.

Très appréciés aux États-Unis, les oolongs sont encore assez méconnus en France. Ils sont moins forts en théine que les thés noirs et se consomment de préférence nature ou avec un soupçon de citron.

Parmi les oolongs les plus connus, nous citerons :

Oolong de Formose/Oolong de Chine Larges feuilles vert brun mêlé de pointes argent donnant une liqueur dorée à la saveur fruitée. A consommer nature. Idéal l'après-midi ou le soir.

Pouchong de Formose/Pouchong de Chine La variété de Chine populaire offre un goût plus corsé. Parfumé au gardénia ou au jasmin, ce thé, légèrement rosé, a un arôme très subtil. A déguster l'après-midi ou le soir, éventuellement accompagné d'une rondelle de citron.

LES THÉS VERTS

Les meilleurs thés verts proviennent de la province de Zhejiang, sur la côte est de la Chine. Aussitôt cueillies, les feuilles sont placées dans des bassines en fer préalablement chauffées. Le dégagement de vapeur qui en résulte supprime la fermentation ultérieure. Ensuite, on procédera aux opérations de roulage et de dessication.

D'une belle couleur vert olive, ces feuilles donnent une liqueur faible en théine, à consommer nature ou avec un peu de citron et de sucre.

Parmi les thés verts les plus connus, nous citerons :

Gunpowder ou poudre à canon Originaire de la province de Zhejiang, ce thé doit son nom aux Britanniques, étonnés par l'apparence de ses feuilles roulées en petites boules compactes. En Occident, c'est le plus connu des thés verts. Il produit une liqueur d'un beau vert doré et se consomme de préférence l'après-midi ou le soir.

Thé au jasmin Il provient de la province de Fujian et on l'obtient à partir d'un mélange de thés verts et de thés noirs additionnés de fleurs de jasmin. D'un goût très particulier, il se consomme de préférence l'après-midi ou le soir, nature ou accompagné d'un soupçon de citron.

LES THÉS PARFUMÉS

Depuis quelques années, les thés aromatisés connaissent un succès croissant et l'amateur dispose aujourd'hui d'un vaste éventail de choix. Nous venons de mentionner, parmi les thés verts, le thé au jasmin qui est en Orient le plus connu des thés parfumés tandis que, en Occident, c'est le Earl Grey qui jouit d'une grande notoriété.

Néanmoins, vaste est la gamme des thés aromatisés à consommer à toute heure du jour et de préférence nature : pomme, cassis, cerise, cannelle et épices, citron, mandarine, menthe, muscade et cannelle, vanille et bien d'autres.

LES TISANES

Comment ne pas citer ici ces boissons aux multiples propriétés ? Mieux vaut les consommer sans lait et très peu infusées.

Parmi les tisanes les plus connues, nous citerons :

La bardane Purifie le sang et soigne les maladies de peau.

La camomille Apaise, dit-on, la douleur et favorise le sommeil.

Le sureau Calme la nervosité et tempère la goutte.

Le Ginseng Possèderait de remarquables qualités toniques.

Le tilleul Combat les maux de tête et les rhumes.

Le cynorrhodon Délicieux mélangé à l'hibiscus.

Le romarin Stimule la mémoire.

La sauge Calme les maux de gorge et soigne les extinctions de voix.

♦ L'ART DU THÉ ♦

Pour exhaler tout l'arôme d'un thé, il importe de respecter cinq règles d'or après avoir soigneusement choisi sa théière et son eau. Il faudra tout d'abord ébouillanter la théière dans laquelle vous jetterez ensuite une petite cuillerée de thé par personne, plus une pour la théière. Versez l'eau frémissante et laissez infuser trois à cinq minutes. Remuez avant de servir.

Vous désirez prendre du lait? Versez-le dans la tasse avant de servir le thé à l'aide d'une passoire. Pourquoi cette coutume? Elle remonte au XVIIe siècle. A l'époque, les Britanniques utilisaient, pour la bière, des chopes en terre ou en étain. Ils craignaient donc que la chaleur du liquide ne brise cette fine vaisselle de porcelaine dont ils n'avaient pas l'habitude. Mais, de nos jours, tout cela est affaire de goût.

Le sucre? A vous de choisir entre les multiples variétés en vente sur le marché.

♦ LES « MUSTS » DU THÉ ♦

LES BOÎTES A THÉ

En Grande-Bretagne, on les appelle *caddies*. Ce terme provient du mot *katty*, unité de mesure utilisée en Orient pour peser environ 600 g de thé. Au XVIIe siècle,

on y enfermait les précieuses feuilles afin d'empêcher les serviteurs de commettre quelque larcin. En fait, c'était la maîtresse de maison en personne qui préparait le thé.

Il est d'autre part indispensable de conserver le thé dans des boîtes hermétiquement closes sous peine de le voir perdre de sa saveur. Ces précautions prises, vous pourrez garder votre thé pendant deux années.

LES THÉIÈRES

C'est au début du XVIIe siècle que l'Europe adopta la théière chinoise, en porcelaine, de forme arrondie et au bec large afin que les feuilles n'en bouchent pas l'orifice. Conçues à l'usage exclusif d'une seule personne, elles étaient fort petites.

Au XVIIIe siècle, le bec s'affine et se courbe tandis que la théière elle-même adopte une allure plus élégante. A l'heure actuelle, l'amateur dispose d'une vaste gamme de choix : formes variées, matériaux divers allant de la faïence à l'argent massif en passant par l'acier inoxydable et le verre. Mieux vaut cependant éviter l'aluminium, qui donne au thé une triste couleur bleutée, et les récipients émaillés. Dans ce dernier cas, en effet, des particules de métal risquent de se mêler à l'infusion.

N'utilisez jamais de détergent pour laver l'intérieur de votre théière : il gâcherait l'arôme de votre boisson. Vous désirez ôter le dépôt de tanin ? Remplissez donc la théière d'eau chaude mélangée à quatre cuillerées à café de bicarbonate de soude, et laissez agir quelques heures. Trop tard ? Une âme charitable a déjà astiqué l'objet de vos soins ? En ce cas, jetez-y une bonne cuillerée de feuilles de thé et patientez quelques jours.

Comment choisir la théière idéale ?

1 Veillez à ce que l'anse du pot soit suffisamment large pour vous permettre une manipulation aisée, faute de quoi vous risquez de vous brûler.

2 Veillez à ce que le couvercle comporte un trou. Cette simple précaution permet à l'air de circuler dans la théière et favorise l'écoulement du liquide.

3 Veillez à ce que le bord interne du couvercle présente une légère saillie. Ce dispositif vous évitera des casses inopportunes.

4 Veillez à ce que l'intérieur de la théière présente une bonne glaçure.

5 Veillez à ce que la base interne du bec présente une sorte de tamis afin de retenir les feuilles.

LA BOULE ET LA CUILLÈRE A THÉ

D'usage facile, la boule à thé et la cuillère automatique à thé permettent de mieux doser la force de l'infusion. Assurez-vous toutefois que les feuilles n'y soient pas comprimées.

LES PASSE-THÉ

C'est vers la fin du XVIIe siècle que s'est répandu l'usage du passe-thé. Au départ, on s'en servait pour transvaser le thé de la boîte à la théière. Cette opération permettait de se débarrasser des poussières inutiles pour ne garder que les belles feuilles. Le passe-thé servait également à éliminer les impuretés flottant à la surface de l'infusion. Il était, d'autre part, doté d'une extrémité pointue afin de dégager la base du bec encombrée de feuilles.

Aujourd'hui, le passe-thé présente une forme plus arrondie et se place directement au-dessus de la tasse. C'est un ustensile indispensable que l'amateur pourra choisir en acier inoxydable comme en porcelaine ou en argent.

LES CACHE-THÉIÈRES

Les cache-théières ou *tea cosies*, en tissu molletonné, gardent le thé au chaud. Impératifs quand vous utilisez un thé en sachet ou placé dans une boule ou une cuillère à thé.

LES TASSES

Les premières tasses importées de Chine avaient la forme de bols minuscules et ne dépassaient pas cinq centimètres de hauteur. A l'époque, les Britanniques avaient coutume de boire dans des chopines une boisson chaude à base de bière et de lait caillé appelée posset. Ils décidèrent que ces ustensiles étaient finalement plus pratiques et, à mesure que se développait l'industrie porcelainière, adoptèrent les tasses à anses que nous connaissons aujourd'hui.

LES POTS A LAIT ET LES POTS A CRÈME

Jadis, les pots à lait avaient souvent la forme d'une vachette réalisée en argent ou en porcelaine. Aujourd'hui, on préfère la simplicité, mais le choix parmi les pots à lait et à crème reste vaste.

LES SUCRIERS ET LES PINCES A SUCRE

Le sucrier constitue un élément indispensable du service à thé. Quant aux pinces à sucre, leur usage s'est répandu à la fin du XVIIe siècle où elles avaient alors la forme de ciseaux pointus qui permettaient de casser plus facilement les pains de sucre. Elles présentaient également une extrémité acérée afin de repousser les feuilles qui obstruaient le bec verseur de la théière.

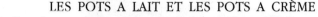

Sélection de thés Thés noirs, thés oolong et thés verts (voir pp. 9 à 12).

Gunpowder

Earl Grey

Lapsang Souchong

Ceylan

Thé au jasmin

Darjeeling

Keemun

Oolong de Chine

Rose Pouchong

LES PRESSE-CITRON

Indispensables si vous aimez l'acidité des agrumes. Vous préférez les rondelles? Pourquoi ne pas essayer un peu d'orange? Dans les deux cas, n'oubliez pas de les présenter sur une petite assiette.

LES CUILLÈRES

Elles firent leur apparition à la fin du XVIIe siècle avec le développement croissant de l'usage du sucre. A l'époque, on utilisait les mêmes cuillères pour le thé et le café. Aujourd'hui, la cuillère à thé, appelée cuillère à dessert, est deux fois plus grande que celle réservée au café.

♦ LES BOISSONS A BASE DE THÉ ♦

BRANDY WARMER

Dans une tasse de mélange anglais, ajoutez une cuillère à soupe de cognac. Découpez une rondelle d'orange ou de citron que vous piquerez d'un bâtonnet de cannelle et placez le tout sur la surface du liquide. Vous pouvez éventuellement remplacer le cognac par du whisky.

EASTERN PROMISE

Dans un grand récipient, mélangez 57,5 cl de thé au jasmin froid à 3 cl d'orange squash (1) non dilué. Ajoutez-y le sirop d'une petite boîte d'ananas en tranches et 27,5 cl de Schweppes au citron. Ajoutez également un peu de glace pilée et décorez le tout de quelques tranches d'ananas et de rondelles d'orange.

(1) Produit typiquement anglais. Il peut être éventuellement remplacé par du sirop d'orange.

Le thé à l'anglaise (Dans le sens des aiguilles d'une montre et en partant du haut) Sandwiches aux asperges et au jambon (voir p. 37); Sandwiches au concombre (voir p. 40); Scones (voir p. 49); Lemon meringue fingers (voir p. 65); Frangipani tarts (voir p. 64).

THÉ GLACÉ

Vous utiliserez un thé de Ceylan qui, même froid, garde une pureté inaltérable. Préparez une infusion plus corsée que d'ordinaire. Mettez un peu de sucre en poudre dans une carafe que vous remplirez à moitié de glaçons. Versez-y ensuite le thé en prenant soin de le passer. Ajoutez de l'eau froide jusqu'au col de la carafe. Mettez au frais quelques heures. Servez avec une rondelle de citron, ou quelques feuilles de menthe ou de sauge fraîches froissées entre vos doigts.

SCOTCH MIST

Dans une casserole, versez trois mesures de thé de Ceylan pour deux mesures de whisky. Ajoutez du miel pour corser le goût. Faites chauffer à feu doux sans porter à ébullition. Servez dans des tasses à café en ajoutant un voile de crème fleurette. Excellent dans la soirée.

SUMMER TEA PUNCH

Mélangez 57,5 cl de Darjeeling froid, 22,5 g de sucre en poudre, 15 cl de rhum et une boîte moyenne (400 g environ) d'ananas en morceaux. Mettez au frais pendant deux heures minimum. Versez ensuite dans un saladier dans lequel vous aurez placé des glaçons. Ajoutez une bouteille de vin blanc sec et 1 l de limonade. Décorez de rondelles d'orange et de citron et de cerises au marasquin.

PRINCIPALES RECOMMANDATIONS

Pour vous assurer les meilleurs résultats, les recettes contenues dans cet ouvrage ont toutes été essayées au moins deux fois. Nous ne saurions trop insister sur l'importance de les respecter à la lettre, de vérifier scrupuleusement les proportions de chaque ingrédient et d'utiliser le matériel recommandé.

Vous trouverez ci-dessous la liste d'une batterie de cuisine type, ainsi qu'un petit glossaire des principaux termes employés.

Avant usage, n'oubliez jamais de laver fruits et légumes et, si indiqué, de les peler, équeuter, etc.

La quantité d'épices peut varier au gré de chacun.

♦ BATTERIE DE CUISINE TYPE ♦

Moules à pâtisserie Vous les choisirez solides et faciles à nettoyer. La panoplie de base de la pâtisserie ménagère comprend :
Moules à cake Rectangulaires, à parois légèrement évasées. La taille la plus courante est de 25 cm.
Moules carrés Les choisir profonds, les tailles les plus pratiques sont 15 cm, 18 cm et 20 cm.
Petits moules individuels Indispensables pour petits gâteaux et tartelettes, ils existent en différentes dimensions, formes et profondeurs.
Moules à manqué Ronds, à bords parfois légèrement évasés. Préférez-les à fond mobile. La taille la plus courante est de 20 cm.
Moules rectangulaires Pour la pâtisserie, les tailles les plus pratiques sont 28 × 18 cm et 33 × 23 cm.
Moules à soufflé Ronds et profonds. Les dimensions les plus utiles sont 18 cm de diamètre, 20 cm, 23 cm et 25,5 cm.
Moules à tarte ou à tourte Ce sont des cercles ou des tourtières, à fond mobile ou non, ronds ou rectangulaires, lisses ou cannelés. Le moule à tarte habituel mesure 24 cm de diamètre.

Plaque du four Elle vous sera très utile pour les biscuits, meringues, petits fours, etc.

Balance Il en existe toute une gamme, parmi laquelle vous trouverez certainement votre bonheur.

Bassine à confiture Indispensable à la réalisation des confitures maison et de certains condiments. Choisissez-la, de préférence, en aluminium ou en acier inoxydable.

Batteur Il peut être manuel ou électrique.

Cercles à crumpets Indispensables pour faire cuire crumpets et muffins.

Couteaux Ayez-en tout un choix, à dents de scie, pointus, etc.

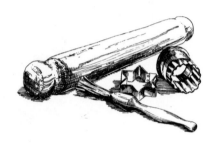

Cuillère-mesureuse Dans toutes les recettes contenues dans cet ouvrage, «une cuillerée à café» signifie 5 ml et «une cuillerée à soupe» 15 ml. Nous vous recommandons vivement de posséder une cuillère-mesureuse car les couverts de table ne correspondent pas obligatoirement à ces contenances et, en pâtisserie, l'exactitude des mesures est primordiale.

Cuillères, spatules et mouvettes en bois Elles vous seront utiles dans la plupart des préparations culinaires.

Écumoire Elle sert à soulever et égoutter les aliments frits, beignets ou doughnuts, par exemple.

Emporte-pièce Dans le commerce, on en trouve de toutes formes et de toutes tailles. Vous utiliserez le plus souvent des cercles de 4 cm, 5 cm, 6 cm et 7,5 cm de diamètre.

Grille métallique Nous vous conseillons de ne pas laisser refroidir biscuits et gâteaux dans leurs moules (à moins que la recette ne le spécifie), car ils auraient tendance à devenir lourds et pâteux. Après cuisson, démoulez vos préparations sur une grille métallique, qui laisse circuler l'air librement.

Passoires et tamis En métal, ils vous serviront aussi bien à tamiser farine et sucre glace qu'à extraire le jus de fruits que vous écraserez.

Pinceau à pâtisserie Pour dorer biscuits, pâtes, gâteaux, etc.

Poche à douille Très utile pour décorer les gâteaux, de rubans de crème, par exemple. Les embouts les plus courants sont : une découpe étoilée, un embout fin, pour les dessins ou les effets de marbrures, et un embout de 1 cm.

Raclette en caoutchouc Elle vous aidera à ne rien gaspiller de vos pâtes ou préparations.

Râpe Fine, elle vous permettra de râper les zestes d'orange ou de citron.

Rouleau à pâtisserie Les meilleurs sont lourds, en bois et ont une surface lisse. Cependant, les rouleaux creux en verre peuvent être aussi extrêmement pratiques puisque, en les remplissant d'eau froide ou glacée, vous serez certain de conserver à votre pâte la température adéquate.

Saupoudreuse Bien que n'étant nullement indispensable, cet ustensile est très utile pour saupoudrer sucre ou farine sur vos gâteaux, biscuits, pâtés, etc.

Spatule métallique On l'utilise pour lisser le dessus des gâteaux, étaler le glaçage, décoller et soulever les biscuits de la plaque du four. Choisissez-en une qui possède une lame suffisamment large et rigide.

Terrines On en trouve de différentes matières : plastique, verre, grès ou porcelaine. Vous y effectuerez vos préparations. Il est nécessaire d'en posséder quelques-unes qui supportent la chaleur du four.

Verre-mesureur Choisissez-le de préférence avec un bec et d'une contenance de 1 litre ou plus. La résistance à la chaleur sera un atout supplémentaire.

◆ PETIT LEXIQUE CULINAIRE ◆

Abaisse Morceau de pâte étendu au rouleau. Pour abaisser la pâte, placez-la sur une planche légèrement farinée. Passez le rouleau à pâtisserie à petits coups réguliers, toujours dans la même direction. Pour obtenir la forme désirée, faites tourner la pâte. Assurez-vous que la pâte ne colle pas à la planche. Abstenez-vous pourtant de la retourner, car elle absorberait trop de farine.

Appareil Mélange de diverses substances alimentaires.

Bain-marie Casserole d'eau bouillante, dans laquelle on place un autre récipient, plus petit, contenant une préparation à cuire doucement, ou à faire fondre.

Chapelure Pain séché au four et pulvérisé.

Chemiser Garnir un moule beurré de papier sulfurisé beurré. Pour ce faire, coupez le papier aux dimensions exactes du fond du moule, pour ne pas déformer le gâteau. Pour un moule rond, mesurez-en ensuite la circonférence et taillez une bande de papier légèrement plus longue pour que les bords se chevauchent, et plus large de 5 cm que la profondeur du moule. Incisez le côté inférieur de la bande de papier, pour qu'elle prenne bien sa place. Pour un moule rectangulaire, cette opération n'est pas nécessaire. Graissez ensuite le papier.

Clarifier Rendre limpide une préparation, en la débarrassant des éléments inutiles. Pour clarifier du beurre, faites-le fondre dans une casserole à feu très doux: une mousse abondante se forme, puis une légère écume qui se dépose au fond de la casserole. Laissez reposer et décanter pour que le beurre se sépare du dépôt.

Concasser Piler grossièrement.

Dorer Enduire une pâte d'œuf battu, à l'aide d'un pinceau.

Foncer Garnir le fond d'une casserole avec du lard ou tapisser l'intérieur d'un moule avec de la pâte. Pour foncer un moule rond, abaissez la pâte en un cercle d'un diamètre de 2,5 cm supérieur à celui du moule. A l'aide du rouleau à pâtisserie, soulevez la pâte, puis mettez-la en place, en la pressant bien contre les bords. Avec la pointe d'un couteau, ôtez alors l'excédent de pâte. Attention, cependant: à la cuisson, elle va se rétracter.

Fontaine Tas de farine au centre duquel on creuse un trou.

Frémir Se dit d'un liquide au moment où commence l'ébullition.

Glacer Étendre un jus épais sur de la viande ou un sirop sur un gâteau.

Mariner Immerger des substances alimentaires dans un liquide aromatisé et assaisonné, pour l'attendrir ou lui donner une saveur spéciale.

Mijoter Cuire à feu très doux.

Napper Recouvrir un mets d'une sauce consistante.

Puits Voir fontaine.

Ruban (Faire le) Ce que fait une pâte homogène qui coule, bien lisse, en prenant l'aspect d'un ruban.

Travailler Battre une composition (pâte ou farce), avec une spatule ou à la main. Pour travailler une pâte à la main, posez-la sur une planche farinée. Puis, d'un mouvement circulaire, repliez-la vers vous, avant de la repousser de la paume. Répétez cette opération pendant 10 minutes, en déplaçant la pâte dans le sens des aiguilles d'une montre.

Zeste Pellicule mince de l'écorce d'un citron ou d'une orange, employée râpée ou en lamelles, en raison de ses principes odorants.

♦ CONSEILS POUR LA CUISSON DES GÂTEAUX ♦

1 Choisissez toujours les ustensiles les mieux adaptés à la recette que vous souhaitez réaliser.

2 Préchauffez toujours le four 15 minutes avant le début de la cuisson du gâteau, sinon celui-ci risquerait de ne pas monter complètement.

3 Enfournez la préparation dès qu'elle est prête, ou le gâteau y perdra en légèreté.

4 N'ouvrez pas le four avant les trois quarts du temps de cuisson. Le gâteau risquerait de retomber.

5 En règle générale (à moins que la recette ne spécifie le contraire), placez génoises, pains fantaisie, sablés, etc., au milieu du four, petits gâteaux, scones et biscuits roulés légèrement au-dessus et cakes légèrement au-dessous.

6 Voici quelques méthodes pour vérifier la cuisson des diverses sortes de gâteaux :

Les génoises doivent être souples au toucher.

Pour les cakes et les pains, enfoncez la lame d'un couteau, qui doit ressortir propre.

Les petits gâteaux doivent monter, être dorés et fermes.

Si vous constatez que la cuisson n'est pas terminée, remettez au four et, si nécessaire, baissez la température, afin que l'intérieur cuise sans que l'extérieur brûle.

Au bout de 15 à 20 minutes, procédez à une nouvelle vérification.

♦ SI VOTRE GÂTEAU EST RATÉ ♦

Si vous suivez toutes nos instructions à la lettre, cela ne devrait pas arriver. Cependant, si votre gâteau ne répond ps à vos espé rances, voici quelques conseils qui vous permettront de mieux réussir la prochaine fois.

Le centre du gâteau a trop levé A cela, il y a trois raisons possibles : vous avez ajouté trop de levure, vous n'avez pas assez battu la préparation, ou bien le four était trop chaud.

Le gâteau s'effondre au milieu C'est pour les cakes que cela se produit le plus souvent. Là encore, trois possibilités : vous n'avez pas assez travaillé beurre et sucre, vous n'avez pas utilisé assez de levure ou le four n'était pas assez chaud.

Le gâteau est granuleux Vous n'avez pas assez battu la préparation, ou bien la quantité de farine était insuffisante. Peut-être aussi le four n'était-il pas assez chaud.

Le gâteau est fendu sur le dessus Votre moule était trop petit ou le four trop chaud. A moins que vous n'ayez ajouté trop de levure ou de farine.

Les fruits sont «tombés» au fond du gâteau Sans doute n'avez-vous pas assez battu beurre et sucre. Peut-être aussi, votre préparation était-elle trop liquide. La prochaine fois, avant de les ajouter à la pâte, farinez vos fruits.

Le gâteau forme croûte et son cœur est pâteux C'est avec les cakes et les génoises que cela arrive le plus souvent. Votre four était peut-être trop chaud ou vous y aviez placé le gâteau trop haut. A moins que vous n'ayez utilisé trop de matières grasses ou trop de liquide (ou de sirop de glucose). La prochaine fois, recouvrez votre gâteau de deux cercles de papier sulfurisé, percés au centre, pour laisser la vapeur s'échapper.

Le gâteau est lourd N'auriez-vous pas employé trop de matières grasses ou de sucre? Ou bien pas assez de farine ou de levure? Il est possible aussi que vous n'ayez pas assez battu la préparation ou que le four n'ait pas été assez chauffé.

Le gâteau a une fâcheuse allure de gruyère Vous avez probablement utilisé trop de levure.

LES
RECETTES

PAINS
ET PAINS FANTAISIE

A l'heure du thé, pourquoi ne pas essayer les pains maison à déguster nature, beurrés ou accompagnés de confitures? Vous trouverez ici de nombreuses recettes qui vous permettront de confectionner pain d'avoine, pain de seigle au yaourt, pain complet et bien d'autres.

INGRÉDIENTS
150 g de margarine
150 g de sucre en poudre
3 œufs moyens
4 bananes très mûres
1/4 cuil. à café d'arôme
  de vanille
400 g de farine complète de blé
100 g d'amandes en poudre
2 cuil. à café de levure chimique
1 pincée de sel
2 cuil. à soupe de sucre roux

◆ PAIN AUX AMANDES ET
AUX BANANES ◆

*Ce pain, d'une saveur exquise, combine le goût délicat
des amandes et la douceur des bananes,
de préférence très mûres.*

◆ **Préparation** 20 minutes ◆ **Cuisson** 1 h 15-1 h 30 ◆ **Four** 180° (5) ◆

Travaillez la margarine et le sucre jusqu'à obtenir un mélange homogène et onctueux. Battez les œufs. Puis incorporez-les peu à peu en fouettant énergiquement. Écrasez à part les bananes avec la vanille que vous ajouterez au reste. Mélangez bien et ne vous inquiétez pas s'il se forme des grumeaux.

Dans une terrine séparée, mélangez farine, amandes, levure et sel. Ajoutez à la préparation initiale en fouettant énergiquement. Versez dans un moule à cake de 30 cm de long, graissé et chemisé, et saupoudrez de sucre roux.

Faites cuire à four moyen (180°, 5) chauffé dix minutes à l'avance. Vérifiez la cuisson à l'aide d'un couteau. Quand la lame ressort propre, sortez le pain du four. Laissez refroidir sur grille. Puis, enveloppez-le dans une feuille d'aluminium ménager. Le pain est meilleur 24 h après sa cuisson.

♦ BARA BRITH ♦

Ce pain gallois peut se présenter de diverses façons. Nous le préférons en version moelleuse et riche en épices : cannelle, cardamome, gingembre.

♦ **Préparation** 2 h-2 h 30 ♦ **Cuisson** 20-30 minutes ♦ **Four** 140° (4) et 200° (6) ♦

INGRÉDIENTS
450 g de farine
1 pincée de sel
15 cl de lait
15 g de levure de boulanger
75 g de beurre
300 g de raisin secs
75 g de sucre roux
50 g d'écorces confites
2 cuil. à café d'épices en poudre (cannelle, par exemple)

Voir illustration page 32

Faites chauffer le four à 140° (4) et placez-y sel et farine dans un plat résistant à la chaleur.

Faites chauffer le lait dans une casserole et versez-en la moitié sur la levure dans une terrine. Incorporez ensuite ce mélange à la farine chauffée. Faites fondre le beurre dans le lait restant, puis mélangez le tout à la farine. Vous devez obtenir une pâte légère. Si elle vous paraît trop épaisse, ajoutez un peu plus de lait.

Laissez reposer durant 35 à 40 minutes, à température ambiante, après avoir recouvert d'un linge humide. La pâte doit doubler de volume.

Pendant ce temps, graissez la plaque du four et mettez-la à chauffer. Versez dans un plat raisins secs, écorces confites et épices que vous mettrez également au four durant quelques minutes. Une fois la pâte gonflée, incorporez-y, à la main, ce mélange. La pâte durcit? Ajoutez encore un peu de lait chaud. Ensuite, faites une boule que vous placerez sur la plaque du four chauffée. Recouvrez avec un torchon et laissez reposer dans un endroit chaud. Patientez 1 h à 1 h 30. La pâte doit doubler de volume.

Faites cuire 20 à 30 minutes dans le four à 200° (6). Durant les dix dernières minutes de la cuisson, recouvrez le pain d'aluminium ménager. Vérifiez la cuisson au couteau. Quand la lame ressort propre, sortez du four et laissez refroidir sur grille.

INGRÉDIENTS

450 g de raisins secs et de
    fruits confits
200 g de sucre roux
27,5 cl de thé noir froid
2 œufs moyens
250 g de farine avec levure
1 bonne pincée de sel
1 cuil. à café d'épices
    en poudre (cardamome,
    cannelle, etc.)

◆ BARMBRACK ◆

Le barmbrack est un cake typiquement irlandais
que l'on peut manger nature ou en tranches beurrées.

◆ **Préparation** 15 minutes ◆ **Cuisson** 1 h 30-1 h 45 ◆ **Four** 180° (5) ◆
◆ **Attention** prévoir 3 h ou 1 nuit pour faire tremper les fruits ◆

Faites tremper les fruits dans le thé sucré 3 h ou une nuit si possible. Faites chauffer le four à 180° (5).

Mélangez les œufs, la farine, le sel et les épices avec les fruits
et le thé. Remuez vigoureusement. Versez le tout dans un moule
à cake de 30 cm de long, graissé et chemisé.

Laissez au four 1 h 30 à 1 h 45. Vérifiez la cuisson au couteau,
la lame doit ressortir propre. Une fois sorti du four, laissez
refroidir 5 à 10 minutes avant de démouler. Puis, enveloppez le
barmbrack dans une feuille d'aluminium ménager pour préserver
son moelleux.

INGRÉDIENTS

450 g de raisins secs
    et d'écorces et de cerises
    confites
27,5 cl de cidre doux
275 g de farine avec levure
50 g de noix et d'amandes
    hachées
150 g de sucre roux
2 pommes épluchées et râpées
1 zeste d'orange et de citron
    râpés
2 gros œufs battus

◆ CAKE AU CIDRE ◆

Si ce cake vous paraît trop moelleux, ajoutez 25 g de farine.

◆ **Préparation** 20 minutes ◆ **Cuisson** 1 h 30-1h 45 ◆ **Four** 170° (5) ◆
◆ **Attention** prévoir 3 h ou 1 nuit pour faire tremper les fruits ◆

Faites tremper les fruits dans le cidre pendant 3 h ou mieux pendant une nuit entière.

Faites chauffer le cidre et les fruits jusqu'à ébullition, puis
retirez du feu et laissez refroidir. Dans une terrine, mélangez la
farine, les noix, les amandes, le sucre, les pommes et les zestes
râpés. Puis, ajoutez petit à petit le cidre avec les fruits secs et les
œufs battus. Remuez le tout.

Versez la préparation dans un moule carré de 20 cm graissé et
chemisé. Faites cuire à four moyen (170°, 5) jusqu'à ce que la
pâte ait bien monté et que la croûte soit dorée et ferme.

Retirez du four, démoulez et laissez refroidir.

◆ PAIN AU FROMAGE ET A LA CIBOULETTE ◆

*Servi chaud avec du beurre, ce pain est délicieux,
mais il est également excellent grillé.*

◆ **Préparation** 2 h-2 h 30 ◆ **Cuisson** 45-50 minutes ◆ **Four** 200° (6) ◆

Délayez la levure dans l'eau chaude jusqu'à dissolution complète. Ajoutez alors l'extrait de malt. Remuez bien. Laissez reposer à température ambiante 15 à 20 minutes. Il doit se former une légère mousse sur le dessus du mélange.

Mélangez la farine, le sel à l'oignon, la ciboulette, le fromage frais et le lait. Remuez le tout avec une fourchette pour obtenir une pâte onctueuse et crémeuse. Versez-la dans le plat contenant la levure et mélangez avec une fourchette. La pâte obtenue doit être ferme. Travaillez-la ensuite pendant 10 minutes sur une planche farinée jusqu'à consistance lisse et élastique. Remettez-la dans une terrine recouverte d'un linge humide. Laissez reposer à température ambiante, 1 h environ.

Pétrissez la pâte pendant quelques minutes avant de la placer sur la plaque du four graissée. Recouvrez d'un linge humide. Au bout de 35 à 40 minutes, la pâte a doublé de volume.

Faites cuire 10 minutes dans le four à 200° (6), puis réduisez la chaleur (4) et laissez encore 35 à 40 minutes jusqu'à ce que le pain soit légèrement doré sur le dessus.

Sortez, et laissez refroidir sur grille.

INGRÉDIENTS
25 g de levure de boulanger
20 cl d'eau chaude
2 cuil. à café d'extrait de malt
450 g de farine complète de blé
2 cuil. à café de sel à l'oignon
2 cuil. à café de ciboulette finement hachée ou 1 cuil. à soupe de ciboulette séchée
175 g de fromage frais (genre Petit Gervais)
2 cuil. à soupe de lait

◆ PAIN AUX FIGUES ◆

Ce pain, à la saveur délicieuse, est très moelleux.

◆ **Préparation** 15 minutes ◆ **Cuisson** 1 h 15-1 h 30 ◆ **Four** 180° (5) ◆
◆ **Attention** prévoir 1 h pour faire macérer les figues ◆

Mettez les figues, le thé, le sucre et la mélasse dans une terrine et laissez macérer 1 h au moins. Mélangez à part farine, levure et œuf, puis versez-les dans la terrine contenant les figues. Remuez avec une cuillère en bois jusqu'à ce que vous obteniez une pâte lisse. Remplissez un moule à cake de 30 cm graissé et chemisé.

Dans le four préalablement chauffé, laissez cuire 1 h 15 à 1 h 30. Vérifiez la cuisson à l'aide d'un couteau. Sortez du four et laissez refroidir 5 à 10 minutes avant de démouler.

INGRÉDIENTS
225 g de figues sèches coupées en petits morceaux
17,5 cl de thé noir froid
100 g de sucre roux
1 cuil. à soupe de mélasse
225 g de farine complète de blé
4 cuil. à café de levure chimique
1 œuf moyen battu

Voir illustration page 32

INGRÉDIENTS
15 g de levure de boulanger
27,5 cl d'eau chaude
450 g de farine d'une céréale
(ou un mélange de farines de
différentes céréales)
1 cuil. à café de sel
1 cuil. à soupe d'extrait de malt
1 cuil. à soupe d'huile de
tournesol

◆ PAIN DE CÉRÉALES ◆

Un goût bien particulier. Idéal pour les sandwiches.

◆ **Préparation** 2 h 30-3 h ◆ **Cuisson** 35-40 minutes ◆ **Four** 220° (7) ◆

Diluez la levure dans un peu d'eau chaude jusqu'à obtention d'un liquide homogène. Laissez reposer dans un endroit chaud pendant 15 à 20 minutes.

Dans une grande terrine, mélangez la farine et le sel et ajoutez la levure petit à petit, le restant d'eau, l'extrait de malt et l'huile. A la fourchette, travaillez la pâte jusqu'à ce qu'elle se détache des parois de la terrine.

Sur la planche farinée, pétrissez 5 à 10 minutes jusqu'à obtention d'une pâte lisse et élastique. Lavez la terrine et enduisez-la légèrement d'huile de tournesol. Remettez-y la pâte. Couvrez avec un torchon humide et laissez reposer à température ambiante durant 1 h 30 à 2 h. La pâte doit doubler de volume.

Pétrissez à nouveau la pâte durant 2 à 3 minutes sur la planche farinée. Donnez-lui la forme d'une boule et placez-la sur la plaque du four que vous aurez huilée. Recouvrez-la de papier cellophane et laissez-la reposer 30 minutes à température ambiante. Elle doit doubler de volume. Pendant ce temps, faites chauffer votre four à 220° (7).

Enfournez durant 35 à 40 minutes. Sortez du four et frappez légèrement le dessous du pain. S'il sonne creux, il est cuit. Sinon, remettez-le au four 5 minutes.

INGRÉDIENTS
350 g de farine
1 bonne pincée de sel
1/2 cuil. à café de bicarbonate
de soude
1 cuil. à café de levure
chimique
1 cuil. à café d'épices
en poudre (cannelle,
cardamome, etc.)
250 g de raisins secs
3 cuil. à soupe de sucre roux
27,5 cl d'extrait de malt
2 œufs moyens
15 cl de lait

◆ PAIN AU MALT ◆

Veillez à recouvrir ce pain d'aluminium ménager
pendant la cuisson sous peine de le voir noircir.
Patientez trois jours avant de le consommer avec du beurre,
du Petit Gervais ou de la confiture.

◆ **Préparation** 20 minutes ◆ **Cuisson** 1 h 30-1 h 45 ◆ **Four** 150° (4) ◆

Graissez et chemisez un moule carré de 18 cm de long et de 6 cm de haut. Graissez également la plaque du four qui recouvrira le moule.

Dans une terrine, mélangez la farine, le sel, le bicarbonate de soude, la levure et les épices. Ajoutez ensuite les raisins secs.

Faites chauffer, sans porter à ébullition, le sucre et l'extrait de malt, puis versez dans la terrine et remuez le tout vigoureusement avec une cuillère en bois. Battez les œufs que vous incorporerez petit à petit. Enfin, ajoutez le lait en filet et mélangez soigneusement pour obtenir une pâte homogène.

Remplissez le moule. Recouvrez-le avec la plaque du four. Mettez un poids sur l'ensemble et laissez cuire 1 h 30 à 1 h 45. Vérifiez la cuisson.

Retirez le pain du four, démoulez sur grille et laissez refroidir. Enveloppez-le alors dans de l'aluminium ménager. Attendez trois jours avant de le consommer.

♦ MICHE A LA CONFITURE ♦

Ce pain, très légèrement amer, est un régal
pour tous ceux qui n'apprécient pas les desserts trop sucrés.

♦ **Préparation** 15 minutes ♦ **Cuisson** 1 h 15-1 h 30 ♦ **Four** 180º (5) ♦

INGRÉDIENTS
150 g de farine avec levure
1 pincée de sel
1 1/2 cuil. à café de noix muscade râpée
100 g de beurre ou de margarine
100 g de sucre roux
1 gros œuf battu
6 cl de lait
1 zeste d'orange râpé
100 g de confiture de gingembre

Dans une terrine, mélangez la farine, le sel et la muscade auxquels vous ajouterez le beurre (ou la margarine) coupé en gros morceaux. Travaillez jusqu'à ce que la pâte s'émiette entre vos mains. Incorporez le sucre. Puis, mélangez l'œuf, le lait, le zeste et 60 g de confiture.

Pétrissez 3 à 4 minutes jusqu'à obtenir une pâte homogène. Versez le tout dans un moule à cake de 30 cm graissé et chemisé, et laissez cuire 1 h 15 à 1 h 30. Vérifiez la cuisson à l'aide d'un couteau. La lame doit ressortir propre.

Sortez du four. Démoulez. Pendant que la miche est encore chaude, recouvrez-la du reste de confiture. Laissez refroidir, puis enveloppez-la dans de l'aluminium ménager. Attendez 3 à 4 jours avant de la consommer.

♦ PAIN D'AVOINE ♦

Un pain excellent avec du fromage,
de la viande froide ou du pâté.

♦ **Préparation** 3 h 15 ♦ **Cuisson** 40-45 minutes ♦
♦ **Four** 140º (4), 220º (7) et 190º (6) ♦

INGRÉDIENTS
15 g de levure de boulanger
1/2 cuil. à café de sucre en poudre
3 cuil. à soupe d'eau chaude
22,5 cl de lait
50 g de sucre doux
50 g de beurre + 25 g pour dorer le pain

Dans une terrine, mélangez soigneusement la levure et le sucre en poudre. Ajoutez l'eau et remuez pour éviter les grumeaux.

675 g de farine
1 cuil. à café de sel
350 g de flocons d'avoine

Voir illustration ci-contre

Laissez reposer, à température ambiante, pendant 15 à 20 minutes. Il doit se former une légère mousse sur le dessus du mélange.

Dans une casserole, faites chauffer, à feu doux, le lait, le sucre roux et le beurre jusqu'à dissolution du sucre. Retirez du feu et laissez refroidir.

Allumez le four à 140° (4). Mettez-y la farine, le sel et les flocons d'avoine pendant quelques minutes. Éteignez. Mettez la farine chauffée dans une terrine et faites un puits. Disposez-y la levure et le lait. Battez à la fourchette. La pâte doit se détacher des parois de la terrine. Si elle est trop liquide, ajoutez un peu de farine. Si elle est trop épaisse, un peu de lait chaud. Pétrissez-la ensuite sur une planche farinée pendant 10 minutes jusqu'à consistance lisse et élastique. Placez-la alors dans une terrine huilée que vous recouvrirez d'un linge humide. Laissez reposer, 1 h 45 à 2 h, à température ambiante. La pâte doit doubler de volume. Travaillez-la ensuite pendant 5 minutes avant de la diviser en deux parts égales que vous placerez sur la plaque graissée du four. Puis, faites fondre les 25 g de beurre dont vous badigeonnerez les pains. Recouvrez la plaque d'un linge humide et laissez à nouveau reposer 1 h. La pâte doit encore doubler de volume.

Faites cuire à four chaud (220°, 7) pendant 15 minutes, puis ramenez la température à 190° (6) et laissez encore 25 minutes. Sortez les pains du four. Pour vérifier la cuisson, tapotez-les. Ils doivent sonner creux. Dans le cas contraire, prolongez leur cuisson de quelques minutes à 170° (5). Retirez du four et laissez refroidir sur grille.

INGRÉDIENTS
20 g de levure de boulanger
3/4 de cuil. à café de sucre
   en poudre
70 cl d'eau chaude
900 g de farine
2 cuil. à café de sel

♦ PAIN BLANC ♦

*Ce pain, simple et léger, a un goût délicieux
et peut servir de base au pain aux raisins.*

♦ **Préparation** 2 h 30-3 h ♦ **Cuisson** 1 h ♦ **Four** 220° (7) ♦

Mélangez levure et sucre en poudre. Ajoutez l'eau chaude en remuant vigoureusement. Dans une terrine, mettez la farine et le sel. Faites un puits et versez-y la levure additionnée d'eau et de

---

Pains et pains fantaisie (Dans le sens des aiguilles d'une montre et en partant de la gauche) Pain d'avoine (voir p. 31) ; Bara brith (voir p. 27) ; Pain aux figues (voir p. 29).

sucre que vous recouvrirez d'un voile de farine. Ne mélangez surtout pas. Laissez reposer, à température ambiante, 20 minutes environ. Travaillez ensuite la pâte avec une fourchette jusqu'à ce que vous obteniez une pâte élastique. Si nécessaire, ajoutez un peu d'eau chaude. La pâte doit se détacher des parois de la terrine. Laissez reposer une nouvelle fois à température ambiante pendant 1 h 30. La pâte doit doubler de volume. Sur une planche farinée, pétrissez-la doucement jusqu'au moment où elle ne présentera plus que de petites bulles d'air. Divisez-la alors en deux parts égales que vous placerez sur la plaque du four graissée. Recouvrez-les d'un linge humide et laissez-les reposer 30 à 40 minutes. Une fois encore, la pâte doit doubler de volume. Mettez 1 h à four chaud (220º, 7).

Pour vérifier la cuisson, tapotez les pains. Ils doivent sonner creux. Sinon, prolongez la cuisson de 5 minutes. Laissez refroidir sur grille.

Vous désirez confectionner un pain aux raisins? Ajoutez une cuillerée à café d'épices en poudre à la farine et au sel et 225 g de raisins avant le second pétrissage. Veillez à bien répartir les fruits.

◆ PAIN COMPLET ◆

Qui ne connaît aujourd'hui ses excellentes qualités nutritives?
◆ **Préparation** 2 h ◆ **Cuisson** 40-50 minutes ◆ **Four** 200º (6) et 180º (5) ◆

INGRÉDIENTS
1 cuil. à café de miel
20 g de levure de boulanger
42,5 cl d'eau chaude
1 cuil. à soupe d'huile végétale
550 g de farine complète de blé
1 cuil. à café de sel

Travaillez le miel et la levure à la cuillère jusqu'à obtention d'un mélange homogène. Ajoutez 15 cl d'eau chaude. Mélangez bien. Recouvrez d'un torchon et laissez reposer 10 à 15 minutes à température ambiante. Incorporez ensuite l'huile.

Dans une terrine, disposez la farine et le sel en puits, versez-y le mélange levure et miel, travaillez le tout à l'aide d'une fourchette. Ajoutez de l'eau en quantité suffisante pour que la pâte prenne une consistance ferme.

Sur la planche farinée, pétrissez la pâte durant 10 minutes jusqu'à ce qu'elle devienne lisse et élastique. Ajoutez de la farine si nécessaire. Remettez la pâte dans la terrine et recouvrez d'un torchon humide. Laissez reposer 1 h à température ambiante. Elle doit doubler de volume.

Huilez la plaque du four, puis pétrissez à nouveau la pâte sur

Sandwiches Au saumon fumé (voir p. 41) et au concombre (voir p. 40).

la planche farinée pendant 5 minutes. Divisez en deux portions égales que vous placerez sur la plaque et laisserez reposer à température ambiante pendant 30 minutes. La pâte doit doubler de volume. Faites chauffer le four à 200° (6). Faites cuire ainsi 10 minutes, puis ramenez la chaleur à 180° (5) et patientez 30 à 40 minutes. Les pains sont cuits s'ils sonnent creux lorsque vous les tapotez.

Si vous désirez réaliser plusieurs petits pains, suivez exactement la même recette mais, après avoir divisé la pâte en plusieurs petites boules, laissez reposer 20 minutes au lieu de 30. Mettez à four chaud, 200° (6). Inutile de réduire la chaleur en cours de cuisson. 20 à 25 minutes suffiront à donner aux petits pains une couleur dorée. Laissez refroidir sur grille.

INGRÉDIENTS
2 cuil. à café de miel
50 g de levure de boulanger
15 cl d'eau chaude
400 g de farine complète de blé
100 g de farine de seigle
2 cuil. à café de sel
15 cl de yaourt nature
2 cuil. à café de crème fleurette

♦ PAIN DE SEIGLE AU YAOURT ♦

Original et succulent.

♦ **Préparation** 2 h 30-3 h ♦ **Cuisson** 40-50 minutes ♦ **Four** 180° (5) ♦

Travaillez le miel et la levure jusqu'à obtention d'un mélange homogène. Ajoutez l'eau chaude. Mélangez bien. Laissez reposer à température ambiante pendant 15 à 20 minutes.

Dans une terrine, mélangez les farines et le sel. Versez progressivement le mélange miel et levure, le yaourt et la crème fleurette. Travaillez à la fourchette jusqu'à ce que la pâte devienne souple et ferme.

Sur la planche farinée, pétrissez la pâte 10 à 15 minutes. Nettoyez la terrine et huilez-la avant d'y remettre la pâte. Recouvrez d'un torchon humide et laissez reposer 1 h 30 à 2 h à température ambiante. La pâte doit doubler de volume.

Huilez la plaque du four et mettez-la en attente le temps de pétrir la pâte 5 minutes sur la planche farinée, puis donnez-lui la forme d'une boule. Posez-la sur la plaque et laissez-la reposer 30 à 40 minutes à température ambiante. La pâte doit doubler de volume.

Pendant ce temps, allumez votre four à 180° (5). Mettez-y la pâte 40 à 45 minutes. Pour vérifier la cuisson, frappez le pain du bout des doigts. S'il sonne creux, il est cuit. Sinon, retournez-le et remettez-le au four 5 minutes. Laissez refroidir sur grille.

SANDWICHES

Les sandwiches constituent un en-cas agréable, à l'heure du thé, comme en maintes autres occasions. Qu'ils soient simples ou raffinés, tout leur secret réside dans le mélange harmonieux des ingrédients et dans le type de pain choisi.

Pour éviter que la garniture n'imprègne le pain, il est recommandé de tartiner ce dernier de beurre, qui peut être demi-sel ou non, ou encore faire partie des beurres composés dont les recettes figurent ci-dessous.

BEURRES COMPOSÉS

♦ BEURRE D'ANCHOIS ♦

Délicieux avec les sandwiches aux œufs durs ou au poisson.

♦ **Préparation** 10 minutes ♦

INGRÉDIENTS
(pour 10 sandwiches)
6 filets d'anchois (lavés)
100 g de beurre ramolli
1 pincée de poivre de Cayenne

Pilez les filets d'anchois dans un mortier, ou écrasez-les dans une passoire métallique.

Battez le beurre jusqu'à ce qu'il devienne mousseux, puis ajoutez-le à la pommade d'anchois. Saupoudrez d'une pincée de poivre de Cayenne et malaxez bien l'ensemble.

INGRÉDIENTS
(pour 10 sandwiches)
100 g de beurre ramolli
2 cuil. à café de curry
1/2 cuil. à café de jus de citron

♦ BEURRE AU CURRY ♦

Excellent avec la viande froide, surtout le poulet et le jambon.
♦ **Préparation** 5 minutes ♦

Battez le beurre jusqu'à ce qu'il devienne mousseux. Ajoutez le curry et le jus de citron, et mélangez.

INGRÉDIENTS
(pour 10 sandwiches)
100 g de beurre ramolli
2 cuil. à soupe de persil haché
1 cuil. à soupe de jus de citron
quelques gouttes d'essence
    d'anchois
sel et poivre gris

♦ BEURRE VERT ♦

*L'arôme subtil du persil se marie particulièrement bien
avec le jambon, le pâté ou les sardines.*
♦ **Préparation** 10 minutes ♦

Battez le beurre jusqu'à ce qu'il devienne mousseux. Ajoutez ensuite tous les autres ingrédients et malaxez bien l'ensemble.

INGRÉDIENTS
(pour 10 sandwiches)
100 g de beurre ramolli
1 brin de persil, de cerfeuil et
    d'estragon hachés très fin
1 petite échalote hachée très fin
1 pincée de macis ou de noix
    muscade râpée
poivre gris fraîchement moulu

♦ BEURRE AUX FINES HERBES ♦

Convient très bien aux sandwiches au bœuf ou au jambon.
♦ **Préparation** 10 minutes ♦

Battez le beurre jusqu'à obtenir une consistance mousseuse. Ajoutez ensuite les autres ingrédients et mélangez bien.

INGRÉDIENTS
(pour 10 sandwiches)
100 g de beurre ramolli
1 cuil. à café de moutarde en
    grains
sel, poivre gris fraîchement
    moulu

♦ BEURRE A LA MOUTARDE ♦

Délicieux avec les œufs, le jambon, le pâté, le porc et le bœuf.
♦ **Préparation** 10 minutes ♦

Battez le beurre jusqu'à ce qu'il devienne mousseux. Ajoutez ensuite les autres ingrédients et mélangez bien.

SANDWICHES

Note *«Pour 1 sandwich» se rapporte à deux tranches de pain de mie, indépendamment du nombre de bâtonnets ou de petits triangles que l'on y découpe ensuite.*

♦ ANCHOIS ET ŒUF ♦

Décorez avec quelques brins de cresson.

♦ **Préparation** 10 minutes ♦

INGRÉDIENTS
(pour 3 ou 4 sandwiches)
6 ou 8 tranches de pain
40 filets d'anchois, lavés
6 jaunes d'œufs durs
50 g de parmesan ou de cheddar râpé
1 pincée de poivre de Cayenne
2 à 3 cuil. à soupe de crème fraîche épaisse
25 à 50 g de beurre doux

Pilez anchois, jaunes d'œufs, fromage, poivre de Cayenne et crème fraîche dans un mortier (on peut aussi utiliser un mixer). La crème doit donner à l'ensemble une consistance onctueuse.

Beurrez le pain, puis tartinez la moitié des tranches avec la pâte obtenue. Refermez les sandwiches, écroûtez-les, puis découpez-les en bâtonnets ou en triangles.

♦ ASPERGES ET JAMBON ♦

On peut utiliser des pointes d'asperges en conserve, à condition de les égoutter soigneusement afin que le pain ne s'imbibe pas d'eau. Décorez avec des brins de cresson ou des rondelles de concombre.

♦ **Préparation** 3 minutes ♦

INGRÉDIENTS
(pour 3 ou 4 sandwiches)
6 ou 8 tranches de pain
25 à 50 g de beurre à la moutarde ou aux fines herbes
200 g environ de jambon
16 pointes d'asperges

Voir illustration page 17

Tartinez généreusement le pain de beurre à la moutarde ou aux fines herbes. Couvrez la moitié des tranches de pain de jambon, sur lequel vous disposerez les pointes d'asperges.

Coupez les sandwiches en petits carrés ou en triangles.

INGRÉDIENTS
(pour 3 ou 4 sandwiches)
6 ou 8 tranches de pain
25 à 50 g de beurre à la
   moutarde
1 cuil. à soupe de mayonnaise
220 g environ de bœuf froid,
   en tranches
3 œufs durs, en rondelles

◆ BŒUF-MAYONNAISE ◆

Peuvent être réalisés avec de la viande chaude.
Décorez avec des rondelles de radis ou des brins de cresson.

◆ **Préparation** 10 minutes ◆

Tartinez le pain de beurre à la moutarde, puis étalez de la mayonnaise sur la moitié des tranches, que vous recouvrirez ensuite de tranches de bœuf et de rondelles d'œuf.

Découpez en petits carrés ou en triangles.

INGRÉDIENTS
(pour 3 ou 4 sandwiches)
6 ou 8 tranches de pain
25 à 50 g de beurre, de
   mayonnaise ou de beurre à la
   moutarde
200 g de bleu
15 à 20 tiges de cresson,
   divisées en petits brins

◆ BLEU ET CRESSON ◆

Choisir de préférence un bleu crémeux, comme le Stilton
ou le gorgonzola. Décorez avec du cresson, des rondelles
de concombre ou de radis.

◆ **Préparation** 5 minutes ◆

Tartinez régulièrement le pain de beurre, d'un peu de mayonnaise ou de beurre à la moutarde. Recouvrez ensuite la moitié des tranches de fromage et de cresson.

Découpez en carrés ou en triangles.

INGRÉDIENTS
(pour 3 ou 4 sandwiches)
6 ou 8 tranches de pain
1 petit concombre, pelé et
   découpé en fines rondelles
sel et poivre gris fraîchement
   moulu
1 cuil. à café de jus de citron
25 à 50 g de beurre
225 g de cheddar râpé
1 cuil. à soupe de ciboulette
   hachée (facultatif)

Voir illustration page 129

◆ FROMAGE ET CONCOMBRE ◆

Pour un sandwich plus savoureux, prendre un cheddar bien fait.

◆ **Préparation** 8 minutes ◆

Réservez 12 rondelles de concombre pour la décoration. Placez les autres dans un récipient et ajoutez sel, poivre et jus de citron. Puis retournez les rondelles pour qu'elles s'imprègnent toutes de ce mélange.

Beurrez le pain. Disposez ensuite fromage râpé, concombre et ciboulette hachée.

Écroûtez les sandwiches, que vous découperez en carrés ou en triangles. Décorez de rondelles de concombre.

♦ POULET-MAYONNAISE ♦

Ils gagnent à être préparés dans des boules individuelles de pain blanc ou complet. Décorez-les de brins de cresson.

♦ **Préparation** 5 minutes ♦

Mélangez les morceaux de poulet et la mayonnaise. Assaisonnez et, si vous le désirez, ajoutez la ciboulette.

Fendez chaque boule en deux, et retirez la mie de la partie inférieure. Étalez beurre ou beurre vert sur le chapeau.

Dans chaque pain, placez un peu de poulet à la mayonnaise, une bonne portion de cresson puis, à nouveau, du poulet à la mayonnaise. Remettez ensuite les chapeaux en place.

INGRÉDIENTS
(pour 3 ou 4 boules)
225 g de poulet froid, en morceaux
1 1/2 cuil. à soupe de mayonnaise
sel et poivre gris fraîchement moulu
1 cuil. à soupe de ciboulette hachée (facultatif)
25 à 50 g de beurre ou de beurre vert
3 barquettes de cresson alénois

♦ FROMAGE BLANC JAMBON ET PÊCHES ♦

Décorez de tranches de pêches, de rondelles de radis ou de concombre.

♦ **Préparation** 5 minutes ♦

Coupez les pêches en morceaux et mélangez-les au fromage blanc. Assaisonnez.

Tartinez le pain de beurre à la moutarde et recouvrez la moitié des tranches de jambon, puis du mélange pêches-fromage blanc.

Écroûtez les sandwiches que vous découperez en carrés ou en triangles.

INGRÉDIENTS
(pour 3 ou 4 sandwiches)
6 ou 8 tranches de pain
2 ou 3 pêches fraîches (épluchées) ou 5 ou 6 moitiés de pêches en conserve
225 g de fromage blanc
sel et poivre gris fraîchement moulu
25 à 50 g de beurre à la moutarde
4 belles tranches de jambon

♦ FROMAGE FRAIS ET DATTES ♦

Ces sandwiches seront encore meilleurs si vous les préparez avec du pain complet. Décorez de moitiés ou de tranches de dattes.

♦ **Préparation** 5 minutes ♦

Beurrez le pain et tartinez la moitié des tranches d'une bonne portion de fromage frais. Disposez ensuite les dattes hachées et, si vous le souhaitez, saupoudrez d'une pincée de cannelle.

Refermez les sandwiches, écroûtez-les et découpez-les en carrés ou en triangles.

INGRÉDIENTS
(pour 3 ou 4 sandwiches)
6 ou 8 tranches de pain
25 à 50 g de beurre légèrement salé
175 g de fromage frais
75 g de dattes séchées, dénoyautées et hachées menu
cannelle (facultatif)

INGRÉDIENTS
(pour 3 ou 4 sandwiches)
6 ou 8 tranches de pain
1/2 concombre pelé, en
  rondelles fines
sel et poivre gris fraîchement
  moulu
1 cuil. à café de jus de citron
25 à 50 g de beurre légèrement
  salé ou de beurre vert

Voir illustrations pages 17 et 33

◆ CONCOMBRE ◆

Choisir de préférence du pain blanc. En effet, l'arôme du pain complet risquerait de masquer la saveur subtile du concombre.

◆ **Préparation** 10 minutes ◆

Réservez 12 rondelles de concombre pour la décoration. Placez les autres dans un récipient et ajoutez sel, poivre et jus de citron. Retournez les rondelles pour qu'elles s'imprègnent toutes de ce mélange.

Sur le pain, étalez régulièrement beurre ou beurre vert puis, sur la moitié des tranches, disposez le concombre.

Refermez les sandwiches, écroûtez-les et découpez en triangles. Décorez avec des rondelles de concombre, disposées en éventail, par exemple.

INGRÉDIENTS
(pour 3 ou 4 sandwiches)
6 ou 8 tranches de pain
3 œufs
2 cuil. à soupe de mayonnaise
sel et poivre gris fraîchement
  moulu
25 à 50 g de beurre légèrement
  salé ou de l'un des beurres
  composés suggérés
2 barquettes de cresson alénois

◆ ŒUF-MAYONNAISE ET CRESSON ◆

Il s'agit, à notre connaissance, de l'une des préparations pour sandwiches les plus savoureuses. Pour une note d'originalité, ajoutez ciboulette, menthe ou persil hachés ou encore une pincée de curry. Utilisez à tour de rôle beurre d'anchois, beurre au curry ou aux fines herbes. Le pain complet convient parfaitement. Décorez de petits brins de cresson.

◆ **Préparation** 15 minutes ◆

Mettez les œufs dans l'eau bouillante pendant 6 à 8 minutes, puis sortez-les et passez-les immédiatement sous l'eau froide, pour en arrêter la cuisson. Écalez-les et écrasez-les avec une fourchette, jusqu'à ce que les blancs soient finement hachés. Ajoutez ensuite mayonnaise, sel, poivre et mélangez bien.

Tartinez le pain avec le beurre choisi puis, sur la moitié des tranches, étalez la préparation que vous recouvrirez ensuite de cresson alénois.

Refermez les sandwiches, écroûtez-les et découpez-les en triangles ou en carrés.

♦ SANDWICHES PRINCESSE ♦

*Excellents avec du beurre au curry ou à la moutarde,
ils seront décorés de rondelles de concombre
ou de brins de cresson.*

♦ **Préparation** 10 minutes ♦

Mélangez huile, vinaigre, sel, poivre, viandes froides en morceaux, fromage et jaunes d'œufs. Malaxez bien.

Tartinez généreusement le pain de beurre au curry ou à la moutarde et disposez la préparation sur la moitié des tranches.

Écroûtez les sandwiches que vous découperez en triangles ou en petits carrés.

INGRÉDIENTS
(pour 3 ou 4 sandwiches)
6 ou 8 tranches de pain
2 cuil. à café d'huile de
  tournesol
1 filet de vinaigre de cidre
  ou à l'estragon
sel et poivre gris
150 g de poulet froid, en petits
  morceaux
75 g de jambon ou de langue
  froide, en morceaux
15 g de cheddar bien fait, râpé
2 jaunes d'œufs durs
25 à 50 g de beurre au curry
  ou à la moutarde

♦ SARDINES ET TOMATE ♦

*A réaliser, si possible, avec des tomates fraîchement cueillies
et du pain complet. Décorez de rondelles de tomate
ou de concombre.*

♦ **Préparation** 5 minutes ♦

Égouttez les sardines, auxquelles vous ôterez l'arête, avant de les écraser avec le jus de citron.

Beurrez le pain, et recouvrez la moitié des tranches de la préparation obtenue. Disposez ensuite les rondelles de tomate et assaisonnez le tout.

Refermez les sandwiches. Coupez-les avec soin en carrés ou en triangles. Laissez cependant les croûtes qui empêcheront la tomate de s'échapper.

INGRÉDIENTS
(pour 3 ou 4 sandwiches)
6 ou 8 tranches de pain
2 boîtes de 125 g de sardines
  à l'huile
quelques gouttes de jus de
  citron
25 à 50 g de beurre légèrement
  salé ou aux fines herbes
4 ou 5 tomates fermes,
  en rondelles fines
sel et poivre gris fraîchement
  moulu

Voir illustration page 129

♦ SAUMON FUMÉ ♦

*Pour ce «roi des sandwiches», choisissez du pain complet.
Décorez de rondelles ou de triangles de citron.*

♦ **Préparation** 5 minutes ♦

Beurrez le pain. Sur la moitié des tranches, disposez les tranches de saumon fumé. Si vous le souhaitez, vous pouvez ajouter une fine couche de fromage frais. Arrosez de jus de citron et poivrez généreusement.

Écroûtez les sandwiches que vous découperez en triangles.

INGRÉDIENTS
(pour 3 ou 4 sandwiches)
6 ou 8 tranches de pain
25 à 50 g de beurre
300 g environ de saumon fumé
  en tranches
3 cuil. à soupe de fromage frais
  (facultatif)
1 cuil. à café de jus de citron
poivre gris fraîchement moulu

Voir illustration page 33

INGRÉDIENTS
(pour 3 ou 4 sandwiches)
6 ou 8 tranches de pain
1 concombre pelé, en fines
  rondelles
sel et poivre gris fraîchement
  moulu
1 cuil. à café de jus de citron
1 boîte de 200 g de saumon
  rose
2 cuil. à café de jus de citron
  (ou de vinaigre de vin)
25 à 50 g de beurre,
  légèrement salé ou non

♦ SAUMON ET CONCOMBRE ♦

Le saumon rose se marie très bien avec le pain complet.
Décorez de rondelles de concombre.

♦ **Préparation** 15 minutes ♦

Placez les rondelles de concombre dans un saladier et versez sel,
poivre et 1 cuillerée à café de jus de citron. Retournez les rondelles pour qu'elles s'imprègnent toutes de ce mélange.

Égouttez le saumon et retirez peau et arêtes. Puis écrasez la
chair à laquelle vous ajouterez 1 cuillerée à café de jus de citron
(ou de vinaigre), sel et poivre.

Beurrez généreusement le pain et étalez une bonne portion de
préparation au saumon sur la moitié des tranches. Puis, disposez
dessus les rondelles de concombre.

Écroûtez les sandwiches que vous découperez en carrés ou en
triangles.

INGRÉDIENTS
(pour 3 ou 4 sandwiches)
6 ou 8 tranches de pain
1 boîte de 200 g de thon à
  l'huile
1 filet de citron (ou de vinaigre
  de cidre)
une douzaine de feuilles de
  menthe hachées menu
sel et poivre gris
25 à 50 g de beurre,
  légèrement salé ou non
1/4 de concombre en fines
  rondelles (facultatif)

♦ THON ET MENTHE ♦

A préparer, de préférence, une heure avant de consommer.
Choisissez du pain complet et décorez de feuilles de menthe
ou de rondelles de concombre.

♦ **Préparation** 4 minutes + 1 h de repos au réfrigérateur ♦

Égouttez le thon que vous écraserez à la fourchette. Ajoutez jus
de citron (ou vinaigre), menthe, sel et poivre et mélangez bien.
Laissez reposer au réfrigérateur pendant 1 h.

Beurrez le pain et recouvrez la moitié des tranches de la préparation obtenue.

Refermez les sandwiches, écroûtez-les et découpez-les en carrés
ou en triangles.

Décorez avec les rondelles de concombre.

◆ DINDE
ET SAUCE AUX AIRELLES ◆

*Délicieux avec du pain blanc. Utilisez, de préférence,
le blanc de dinde et une sauce aux airelles plutôt ferme.
Décorez de brins de cresson.*

◆ **Préparation** 3 minutes ◆

INGRÉDIENTS
(pour 3 ou 4 sandwiches)
6 ou 8 tranches de pain
25 à 50 g de beurre légèrement
 salé ou de beurre à la
 moutarde
3 ou 4 cuil. à café de sauce
 aux airelles
175 g de tranches de dinde
 froide
sel et poivre

Beurrez le pain et recouvrez la moitié des tranches de sauce aux airelles. Puis, disposez les tranches de dinde. Salez et poivrez.

Écroûtez les sandwiches que vous découperez en carrés ou en triangles.

◆ CHEDDAR
NOIX ET LAITUE ◆

*Choisir un cheddar bien fait, une laitue croquante
et du pain complet. Décorez de rondelles de concombre
ou de brins de cresson.*

◆ **Préparation** 10 minutes ◆

INGRÉDIENTS
(pour 3 ou 4 sandwiches)
6 ou 8 tranches de pain
100 g de noix concassées
225 g de cheddar râpé
25 à 50 g de beurre ou de
 beurre à la moutarde
quelques feuilles de laitue,
 ciselées
sel et poivre fraîchement moulu

Mélangez noix concassées et fromage. Beurrez le pain, dont vous recouvrirez la moitié des tranches avec la préparation.

Disposez avec soin la laitue ciselée et assaisonnez.

Refermez les sandwiches. Écroûtez-les et découpez-les en carrés ou en triangles.

RECETTES TRADITIONNELLES A L'HEURE DU THÉ

Sans les scones, muffins, crumpets, teacakes et toasts beurrés, la cérémonie du thé perdrait sans doute beaucoup de son charme. Vous pourrez varier les plaisirs au fil des saisons. L'été, vous vous régalerez de cornish splits et de scones, accompagnés de fraises et de crème en grumeaux. Pour l'hiver, vous réserverez muffins et crumpets, à servir chauds et généreusement beurrés.

INGRÉDIENTS
(pour 9 buns)
225 g de farine
15 g de levure de boulanger
1 cuil. à café de sucre en
    poudre
1 dl de lait chaud
1/2 cuil. à café de sel
15 g de beurre ou de saindoux,
    ramolli
1 œuf battu
50 g de beurre ou de margarine
175 g de raisins secs
    et/ou fruits confits
25 g d'écorces confites
1/2 cuil. à café de cannelle
50 g de sucre roux
3 cuil. à soupe de miel liquide

Voir illustration page 48

♦ CHELSEA BUNS ♦

Il s'agit de délicieuses brioches aux raisins secs.

♦ **Préparation** 2 h 30-3 h ♦ **Cuisson** 30 à 35 minutes ♦ **Four** 190° (6) ♦

Dans une terrine, versez 50 g de farine. Ajoutez la levure de boulanger, le sucre en poudre, le lait et mélangez. La pâte doit avoir la consistance de la pâte à crêpes. Laissez reposer dans un endroit tiède pendant 15 à 20 minutes, jusqu'à ce que la préparation devienne mousseuse.

Dans une autre terrine, versez le reste de la farine et le sel. Incorporez le beurre ou le saindoux. Ajoutez ensuite le mélange de levure et l'œuf battu. Mélangez. La pâte doit être souple et ne pas adhérer aux parois.

Sur une planche farinée, travaillez alors la pâte à la main, jusqu'à ce qu'elle devienne élastique. Puis, placez-la dans un grand sac en plastique préalablement graissé et laissez-la reposer à température ambiante. Au bout de 1 h à 1 h 30, elle doit avoir doublé de volume.

Travaillez-la à nouveau, pour l'assouplir, puis étalez-la en une abaisse d'environ 30 × 24 cm. Dorez alors cette pâte au beurre ou à la margarine. Mélangez les fruits et écorces confits, les raisins secs, la cannelle et le sucre doux, puis saupoudrez-en la pâte.

Roulez ensuite la pâte dans le sens de la longueur et soudez les bords avec un peu d'eau. Coupez-la en 9 tranches d'égale épaisseur, disposez-les sur la plaque graissée du four, et recouvrez l'ensemble d'un sac en plastique. Laissez reposer pendant 30 minutes, le temps que la pâte double de volume. Chauffez alors le four à 190° (6).

Otez le plastique et faites cuire les buns durant 30 à 35 minutes, jusqu'à ce qu'ils soient dorés. Puis, sortez-les du four et placez-les sur une grille métallique, côté doré tourné vers le haut. S'ils sont collés, séparez-les tant qu'ils sont encore chauds et recouvrez-les de miel. Laissez refroidir.

♦ CLOTTED CREAM ♦

Cette crème en grumeaux, qui nous vient de l'Ouest de la Grande-Bretagne, est l'accompagnement idéal des gâteaux, pâtisseries et desserts. Traditionnellement, on la sert avec des scones chauds et de la confiture de fraises.

♦ **Préparation et cuisson** 20-30 minutes + 2 à 3 jours de repos ♦

INGRÉDIENTS
(pour 225 g de clotted cream)
4 1/2 l de lait entier à au moins 56 % de crème

Laissez reposer le lait dans un récipient couvert, pendant 24 h en hiver ou 12 h en été. Versez-le ensuite dans une casserole et faites-le chauffer à feu doux, sans le laisser atteindre le point d'ébullition. Cette opération doit durer aussi longtemps que possible. Lorsque des petites ridules commencent à se former à la surface du lait, retirez la casserole du feu, couvrez-la et placez-la dans un endroit frais (l'été, au réfrigérateur), jusqu'au lendemain.

Récupérez la crème en grumeaux et conservez-la au réfrigérateur.

♦ CORNISH SPLITS ♦

Il s'agit de petites brioches que, en Cornouailles, l'on ouvre en deux et l'on tartine de beurre, confiture, crème en grumeaux ou crème Chantilly.

♦ **Préparation** 2 h-2 h 30 ♦ **Cuisson** 25 minutes ♦ **Four** 130° (4) et 180° (5) ♦

INGRÉDIENTS
(pour 20 splits)
25 g de levure de boulanger
1/2 cuil. à café de sucre en poudre
15 cl d'eau chaude
675 g de farine
25 g de saindoux ramolli
150 g de beurre ramolli
5 cuil. à soupe de lait
1 cuil. à café de sel

Voir illustration page 48

Travaillez la levure de boulanger en crème avec le sucre, puis versez l'eau et mélangez. Ajoutez ensuite 1 cuillerée à soupe de farine et mélangez avec soin. Couvrez la terrine avec un torchon humide et laissez reposer 15 à 20 minutes dans un endroit tiède, jusqu'à ce que la pâte soit mousseuse.

Mettez le saindoux, 100 g de beurre et le lait dans une terrine que vous placerez au four chauffé à 130° (4), ainsi qu'une autre contenant le reste de la farine et le sel.

Lorsque l'ensemble est réchauffé, sortez les deux terrines du four. Au milieu de la farine, faites un puits et versez le mélange de lait et de matières grasses, ainsi que la pâte à la levure. Travaillez progressivement avec une fourchette puis, après avoir trempé vos mains dans la farine, pétrissez jusqu'à obtention d'une pâte souple.

Sur une planche farinée, continuez à pétrir pendant 2 à 3 minutes la pâte, qui doit devenir élastique. Placez-la ensuite dans une grande terrine préalablement graissée. Recouvrez le tout d'un torchon humide et laissez reposer 1 h à 1 h 30 dans un endroit tiède. La pâte doit doubler de volume.

Sur une planche farinée, pétrissez à nouveau la pâte, jusqu'à ce qu'elle devienne souple et élastique. Puis, divisez-la en boules d'environ 2,5 cm de diamètre, que vous aplatirez pour qu'elles soient deux fois moins hautes. Placez-les sur la plaque graissée du four, et laissez reposer 30 minutes dans un endroit tiède, le temps qu'elles doublent de volume.

Placez-les ensuite dans le four préalablement chauffé (180°, 5), et faites-les cuire durant 25 minutes (elles doivent prendre couleur). Pendant ce temps, faites fondre les 50 g de beurre restants. Sortez les splits du four et déposez-les sur une grille métallique. Dorez-les au beurre fondu.

INGRÉDIENTS
(pour 20 crumpets)
350 g de farine
1/2 cuil. à café de sucre en poudre
une pincée de sel
25 g de levure de boulanger
45 cl de lait chaud
15 cl d'eau chaude
2 œufs battus

Voir illustration page 48

♦ CRUMPETS ♦

A servir grillés et généreusement beurrés.

♦ **Préparation** 1 h 45-2 h ♦ **Cuisson** 1 h environ ♦

Mélangez farine, sucre et sel. Faites dissoudre la levure dans un peu de lait chaud, puis ajoutez-la à la farine, ainsi que le reste du lait, l'eau et les œufs battus. Battez vigoureusement jusqu'à obtention d'une pâte lisse que vous laisserez reposer dans un endroit tiède pendant 30 à 45 minutes.

Battez à nouveau et laissez reposer dans un endroit tiède pendant encore 15 minutes. Renouvelez l'opération une troisième fois.

Dans une lourde poêle que vous aurez préalablement chauffée quelques minutes à feu doux, placez 4 ou 5 cercles à crumpets, dans lesquels vous verserez environ 2 cuillerées à soupe de pâte. Laissez cuire 6 à 8 minutes, jusqu'à ce que le fond de chaque crumpet soit doré, puis retournez les cercles avec soin et faites dorer l'autre côté (6 à 8 minutes).

Lorsque les crumpets sont cuits, posez délicatement les cercles sur une grille, puis ôtez-les. Renouvelez l'opération autant de fois que nécessaire.

Avant de les servir, n'oubliez pas de griller les crumpets.

♦ DOUGHNUTS ♦

*Traditionnellement, ces beignets peuvent se présenter sous
deux formes différentes: en anneaux ou fourrés de confiture.
Dans les deux cas, la recette de base est la même.*

♦ **Préparation** 2 h 30 ♦ **Cuisson** 15-20 minutes ♦ **Four** 50° (1) ♦

INGRÉDIENTS
(pour 15 doughnuts)
225 g de farine
1/4 cuil. à café de sel
20 g de saindoux ramolli
25 g de margarine ramollie
15 g de levure de boulanger
25 g de sucre en poudre
  + 15 g pour la garniture
15 cl de lait chaud
1 œuf battu
1 cuil. à soupe de cannelle

Faites chauffer le four à 50° (1) et placez-y farine et sel à tiédir.
Éteignez le four.

Incorporez ensuite à cette farine saindoux et margarine. La pâte
doit être extrêmement friable. Travaillez la levure de boulanger en
crème avec 1 cuillerée à café de sucre. Mélangez bien. Ajoutez
alors le reste du sucre, puis le lait et l'œuf.

Dans la farine, faites un puits et, tout en mélangeant avec une
fourchette, versez progressivement le liquide obtenu. Laissez
ensuite la pâte reposer 1 h 30 à 2 h dans un endroit tiède.

Au bout de ce temps, déposez-la sur une planche farinée et
pétrissez légèrement quelques minutes. Étendez-la ensuite en une
abaisse de 1 cm d'épaisseur. A l'aide d'un emporte-pièce de 6 cm
de diamètre, préalablement trempé dans la farine, vous découperez les contours; avec un second, de 4 cm de diamètre, les
centres. Placez ensuite les anneaux ainsi obtenus sur une planche
farinée, et laissez-les reposer pendant 10 à 15 minutes.

Pendant ce temps, dans un plat peu profond, mélangez la cannelle et le reste du sucre. Dans un faitout à moitié plein d'huile
très chaude et légèrement fumante, disposez avec précaution 3 ou
4 doughnuts, que vous manipulerez avec une écumoire. Laissez
cuire 3 à 4 minutes, puis retirez de la friture, égouttez et essuyez
avec du papier absorbant. Trempez imédiatement dans le sucre à
la cannelle. Maintenez au chaud, jusqu'à ce que tous les doughnuts soient cuits.

DOUGHNUTS A LA CONFITURE

Procédez comme pour la recette ci-dessus. Lorsque la pâte a levé,
pétrissez-la légèrement sur une planche farinée puis faites-en une
quinzaine de boules. Enfoncez votre pouce au centre de chacune
et, dans le trou ainsi obtenu, placez 1 cuillerée à café de confiture (traditionnellement, il s'agit de confiture de fraises ou de
framboises). Repliez ensuite la pâte, de façon que la confiture se
trouve prisonnière. Soudez bien les bords.

Placez les boules de pâte sur une planche farinée et laissez-les
reposer 10 à 15 minutes dans un endroit tiède, pour qu'elles
lèvent. Pour la friture, procédez exactement comme pour les
doughnuts ordinaires.

INGRÉDIENTS
(pour 9 lardy cakes)
15 g de levure de boulanger
1 cuil. à soupe de sucre en
    poudre
30 cl environ d'eau chaude
450 g de farine
2 cuil. à café de sel
400 g de saindoux ramolli
175 g de sucre cristallisé
1/4 cuil. à café de noix
    muscade, de cannelle ou
    d'épices mélangées
50 g de raisins secs
50 g de sucre en morceaux,
    écrasé

♦ LARDY CAKE ♦

Il s'agit d'un pain fantaisie, en provenance des comtés
de Wiltshire et Gloucestershire. Le saindoux, le sucre et les fruits
confits font toute son originalité... pour le plaisir des gourmands.
♦ **Préparation** 1 h 30-2 h ♦ **Cuisson** 30 minutes ♦ **Four** 200° (6) ♦

Travaillez la levure de boulanger en crème avec le sucre en poudre et l'eau. Dans une terrine, mélangez la farine et le sel puis faites un puits et versez la levure, que vous incorporerez progressivement à l'aide d'une fourchette.

Placez alors la pâte sur une planche farinée, et pétrissez-la 5 minutes, jusqu'à obtention d'une consistance souple et élastique. Lavez, séchez et graissez la terrine. Remettez-y la pâte que vous couvrirez d'un torchon humide. Laissez reposer dans un endroit tiède, jusqu'à ce qu'elle ait doublé de volume.

Au bout de ce laps de temps, placez-la à nouveau sur une planche farinée et travaillez-la 5 minutes, puis abaissez-la en un rectangle de 1 cm d'épaisseur. Déposez-y de petits copeaux de saindoux et saupoudrez avec le tiers du sucre cristallisé. Repliez la pâte en trois, puis étalez-la de nouveau. Répétez l'opération encore deux fois. La troisième fois, ajoutez aux copeaux de saindoux et au sucre les épices, les raisins secs et le sucre en morceaux écrasé. Repliez la pâte que vous étalerez aux dimensions de la plaque graissée du four préalablement chauffé à 200° (6). Étalez la pâte sur la plaque et dessinez-y neuf portions. Enfournez 15 minutes, jusqu'à ce qu'elle dore légèrement. Sortez alors du four, et laissez refroidir sur une grille métallique. Enfin, avant de le consommer, rompez le lardy cake avec les mains.

INGRÉDIENTS
(pour 10 à 12 muffins)
450 g de farine
1/2 cuil. à café de sel
15 g de levure de boulanger
1 cuil. à café de sucre en
    poudre
30 cl environ de lait chaud

♦ MUFFINS ♦

Voici la meilleure façon de servir les muffins: coupez-les
en deux puis, réunissant les deux moitiés, vous les ferez griller
ensemble, très lentement, de chaque côté. Ainsi, tandis que
l'extérieur prendra une belle couleur, l'intérieur sera, lui aussi,
réchauffé. Une fois grillés, vous les ouvrirez à nouveau,
pour les beurrer généreusement.
♦ **Préparation** 1 h 30-2 h ♦ **Cuisson** 14-16 minutes ♦ **Four** 220° (7) ♦

Recettes traditionnelles à l'heure du thé (Dans le sens des aiguilles d'une montre et en partant de la gauche) Scones à la farine complète (voir p. 52); Chelsea buns (voir p. 44); Cornish splits (voir p. 45); Scottish drop scones (voir p. 50); Crumpets (voir p. 46).

Mélangez la farine et le sel. Dans un autre récipient, travaillez la levure de boulanger en crème avec le sucre, pour obtenir une pâte lisse. Incorporez à la farine, avec un peu de lait chaud. Ajoutez le reste du lait, et mélangez à la fourchette pour obtenir une pâte ferme.

Dans la terrine, pétrissez cette pâte pendant 5 à 10 minutes. Puis couvrez-la, et laissez reposer 1 h à 1 h 30, jusqu'à ce qu'elle ait doublé de volume. Au bout de ce laps de temps, posez-la sur une planche farinée et pétrissez-la à nouveau, pour la rendre lisse et élastique.

Étalez-la en une abaisse de 1 cm d'épaisseur. A l'aide d'un emporte-pièce, préalablement trempé dans la farine, découpez des cercles de 7,5 cm de diamètre. Placez ensuite ces cercles sur la plaque graissée du four. Laissez reposer 10 à 15 minutes, jusqu'à ce qu'ils aient doublé de volume.

Placez alors la plaque dans le four chauffé à 220° (7) et laissez cuire 7 à 8 minutes, jusqu'à ce que les muffins prennent couleur. Retournez-les avec soin et faites cuire l'autre côté 7 à 8 minutes. Sortez du four et laissez refroidir sur une grille métallique.

♦ SCONES ♦

A manger chauds, coupés en deux, tartinés de confiture et recouverts de crème en grumeaux ou de crème Chantilly.

♦ **Préparation** 10 minutes ♦ **Cuisson** 12-15 minutes ♦ **Four** 230° (7) ♦

INGRÉDIENTS
(pour 10 à 12 scones)
225 g de farine à la levure
1 pincée de sel
50 g de beurre ramolli
5 cuil. à café de sucre en poudre
1 œuf battu
5 cuil. à soupe de lait
1 œuf battu ou du lait, pour dorer les scones

Voir illustration page 17

Mélangez la farine et le sel. Du bout des doigts, incorporez le beurre. La pâte doit être extrêmement friable. Ajoutez le sucre, puis l'œuf, et travaillez à la fourchette. Ajoutez progressivement le lait, pour obtenir une pâte assez ferme.

Placez-la sur une planche farinée et étalez-la en une abaisse d'environ 2,5 cm d'épaisseur. A l'aide d'un emporte-pièce préalablement trempé dans la farine, découpez des cercles de 6 cm de diamètre. Placez les scones, près les uns des autres, sur la plaque, graissée et saupoudrée de farine, du four préalablement chauffé à 230° (7). Dorez-les à l'œuf ou au lait tiède.

Faites cuire 12 à 15 minutes, jusqu'à ce qu'ils prennent couleur. Sortez-les alors du four et posez-les sur une grille métallique. Recouvrez-les immédiatement d'un torchon, afin de leur conserver tout leur moelleux.

Biscuits (Dans le sens des aiguilles d'une montre et en partant du haut) Coffee creams (voir p. 54); Cornish fairings (voir p. 54); Shrewsbury biscuits (voir p. 57).

VARIANTES

Scones au fromage: Procédez comme ci-dessus, à l'exception du sucre. Ajoutez une pincée de moutarde en poudre et 25 g de fromage râpé au mélange farine et beurre. Puis ajoutez normalement l'œuf.

Scones aux fruits: Procédez exactement comme pour la recette de base, mais ajoutez 50 g de raisins secs au mélange, puis ajoutez normalement l'œuf.

Scones au citron: Procédez exactement comme pour la recette de base, mais ajoutez un zeste de citron finement râpé et remplacez 1 cuillerée à soupe de lait par la même quantité de jus de citron.

INGRÉDIENTS
(pour 18 à 20 scones)
225 g de farine à la levure
1 pincée de sel
1 cuil. à café d'acide tartrique
1/2 cuil. à café de bicarbonate
   de soude
5 cuil. à café de sucre
   en poudre
1 gros œuf battu
25 cl environ de lait chaud

Voir illustration page 48

♦ SCOTTISH DROP SCONES ♦

Si vous ne possédez pas de bonne plaque de fonte, vous pouvez faire cuire ces drop scones dans une lourde poêle, à température très basse et constante. Vous les servirez très chauds, avec du miel, du sirop de glucose ou de la confiture.

♦ **Préparation** 15 minutes ♦ **Cuisson** 35-40 minutes ♦

Dans une terrine, mélangez tous les ingrédients secs. Puis faites un puits et versez l'œuf, que vous incorporerez progressivement à la farine avec une mouvette de bois, en travaillant de l'intérieur vers l'extérieur. Ajoutez le lait petit à petit et continuez à travailler, jusqu'à ce que toute la farine ait été absorbée. Fouettez vivement pendant 2 à 3 minutes.

Laissez la pâte reposer 10 minutes. Pendant ce temps, faites chauffer la plaque, que vous aurez badigeonnée de saindoux ou d'huile, jusqu'à ce qu'elle atteigne une température constante. Attention: si la plaque est trop chaude, l'extérieur des scones brûlera avant que l'intérieur cuise.

Avec une cuillère à soupe, faites quatre petits tas de pâte sur la plaque, puis laissez cuire doucement jusqu'à ce que des bulles se forment et éclatent. Au bout de 4 minutes, retournez les scones avec soin, à l'aide d'une spatule métallique. Laissez cuire encore 3 à 4 minutes, jusqu'à ce que le dessous soit doré. Retirez les scones, graissez à nouveau la plaque et recommencez l'opération autant de fois que nécessaire.

Au fur et à mesure que les scones sont cuits, placez-les dans un torchon de lin, pour qu'ils conservent leur chaleur et leur moelleux.

◆ TEACAKES ◆

A servir très chauds, beurrés. On peut aussi les faire griller.

◆ **Préparation** 2 h-2 h 15 ◆ **Cuisson** 10-15 minutes ◆ **Four** 200° (6) ◆

Travaillez la levure de boulanger en crème avec le sucre, jusqu'à obtention d'une pâte lisse. Ajoutez progressivement le lait et mélangez bien. Couvrez et laissez reposer 10 à 15 minutes dans un endroit tiède, jusqu'à ce que le mélange devienne mousseux.

Dans une terrine, mélangez la farine, le sel et la cannelle. Incorporez le beurre du bout des doigts. La pâte doit être extrêmement friable. Au centre de la farine, faites une fontaine et versez le mélange à la levure. Travaillez à la fourchette, jusqu'à ce que la farine soit entièrement absorbée. La pâte a alors une consistance ferme. Placez-la dans une jatte préalablement graissée et recouvrez d'un torchon humide. Laissez reposer 1 h à 1 h 30 dans un endroit tiède, jusqu'à ce que la pâte ait doublé de volume.

Au bout de ce laps de temps, placez-la sur une planche farinée, saupoudrez-la des raisins secs et écorces confites, et pétrissez-la légèrement, pour que les fruits soient bien répartis.

Puis faites-en 8 à 10 boules de 5 cm de diamètre, que vous aplatirez et disposerez sur la plaque graissée du four.

Laissez-les reposer 30 minutes dans un endroit tiède, pour qu'elles lèvent, puis badigeonnez-les d'œuf battu et placez au four préalablement chauffé à 200° (6). Laissez cuire 10 à 15 minutes, jusqu'à ce qu'elles soient brunes et fermes. Sortez du four et faites refroidir sur une grille métallique. Si vous le désirez, vous pouvez badigeonner les teacakes de sirop de glucose ou de miel fondu, alors qu'ils sont encore chauds.

INGRÉDIENTS
(pour 8 à 10 teacakes)
15 g de levure de boulanger
5 cuil. à soupe de sucre
  en poudre
15 cl de lait chaud
450 g de farine
1 pincée de sel
1/4 cuil. à café de cannelle
50 g de beurre ramolli
75 g de raisins secs et
  d'écorces confites
1 œuf battu
miel ou sirop de glucose fondu
  (facultatif)

Voir illustration page 129

◆ WELSH CAKES ◆

*Traditionnellement, on les confectionnait avec du lait de brebis
ou de vache, et on les faisait griller devant la cheminée.
Aujourd'hui, on les fait cuire de préférence
sur une plaque de fonte, mais si vous n'en possédez pas,
une bonne poêle bien lourde fera l'affaire.
Il faut consommer ces gâteaux chauds et beurrés.*

◆ **Préparation** 10 minutes ◆ **Cuisson** 30-40 minutes ◆

Dans une terrine, mélangez farine, sucre, sel et noix muscade râpée. Incorporez le beurre ou la margarine jusqu'à ce que la

INGRÉDIENTS
(pour 8 à 10 gâteaux)
225 g de farine
5 cuil. à soupe de sucre
  en poudre
1 pincée de sel
3/4 cuil. de noix muscade râpée
100 g de margarine ou
  de beurre ramolli
75 g de raisins de Corinthe
1 œuf battu
1 ou 2 cuil. à soupe de lait
  chaud (facultatif)

pâte devienne mousseuse. Ajoutez l'œuf et les raisins de Corinthe. Travaillez à la fourchette pour obtenir une pâte ferme. Si cette dernière est trop sèche, ajoutez une très petite quantité de lait.

Sur une planche farinée, étalez la pâte en une abaisse de 2 cm d'épaisseur. A l'aide d'un emporte-pièce préalablement trempé dans la farine, découpez des cercles de 7,5 cm de diamètre.

Chauffez la plaque de fonte à feu doux et graissez-la bien. Patientez quelques instants, le temps qu'elle atteigne une température constante, parfaitement répartie. Attention : si la plaque est trop chaude, les gâteaux seront brûlés à l'extérieur, tandis que leurs centres ne seront pas bien cuits.

Déposez 3 ou 4 cercles sur la plaque et laissez-les cuire doucement (8 à 10 minutes de chaque côté), en les retournant une fois avec une spatule métallique. Les gâteaux doivent être dorés.

Posez-les ensuite sur une grille métallique et enveloppez-les d'un torchon de lin, jusqu'à ce qu'ils soient tous prêts.

♦ SCONES A LA FARINE COMPLÈTE ♦

Si vous les préférez aux fruits, ajoutez 75 g de raisins secs, juste avant de verser le lait.

♦ **Préparation** 10 minutes ♦ **Cuisson** 12-15 minutes ♦ **Four** 230° (7) ♦

INGRÉDIENTS
(pour 10 à 12 scones)
50 g de farine
175 g de farine complète
1 pincée de sel
1 cuil. à soupe de levure
50 g de margarine ou de beurre
  ramolli
5 cuil. à café de sucre
  en poudre
15 cl de lait ou lait tourné
1 œuf battu ou du lait,
  pour dorer les scones

Voir illustration page 48

Dans une terrine, mélangez farines, sel et levure. Du bout des doigts, incorporez le beurre ou la margarine. La pâte doit être extrêmement friable. Ajoutez le sucre. Versez le lait petit à petit, en travaillant avec une fourchette pour obtenir une pâte ferme, que vous étalerez en une abaisse de 2,5 cm d'épaisseur sur une plaque farinée. A l'aide d'un emporte-pièce préalablement trempé dans la farine, découpez des cercles de 6 cm de diamètre. Placez-les, presque côte à côte sur la plaque graissée du four préalablement chauffé à 230° (7), puis dorez-les à l'œuf battu ou au lait.

Faites cuire 12 à 15 minutes, jusqu'à ce que les scones aient pris couleur et soient fermes. Ensuite déposez-les sur une grille métallique. Couvrez-les immédiatement d'un torchon, afin de préserver tout leur moelleux.

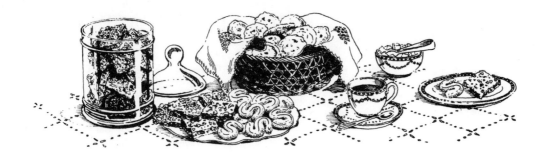

BISCUITS

Voici quelques recettes destinées à agrémenter vos goûters. Faciles à réaliser, elles vous donneront quelques délicieux biscuits à présenter à vos hôtes.

♦ ANZACS ♦

Très tendres, ils fondent dans la bouche.

♦ **Préparation** 10-15 minutes ♦ **Cuisson** 15-20 minutes ♦ **Four** 180° (5) ♦

Dans une grande casserole, mélangez la margarine ou le beurre et le sirop. Dès le mélange fondu, retirez du feu et ajoutez flocons d'avoine, farine et sucre. Remuez vigoureusement.

Faites dissoudre le bicarbonate dans l'eau bouillante puis versez dans la pâte en travaillant énergiquement. A l'aide d'une cuillère, prenez un peu de pâte que vous roulerez dans vos mains farinées de manière à en faire une boule. Sur la plaque graissée du four préalablement chauffé à 180° (5), placez les noisettes de pâte en veillant à les espacer au mieux.

Laissez cuire 15 à 20 minutes, puis laissez refroidir sur la plaque 4 à 5 minutes avant de les manipuler.

INGRÉDIENTS
(pour 16 à 18 biscuits)
100 g de margarine ou de beurre
1 cuil. à soupe de sirop
   de glucose
225 g de flocons d'avoine
150 g de farine avec levure
100 g de sucre roux
1 cuil. à café de bicarbonate
   de soude
2 cuil. à soupe d'eau bouillante

INGRÉDIENTS
(pour 15 biscuits environ)
Pour la pâte
50 g de saindoux
50 g de sucre en poudre
1 cuil. à café de sirop de glucose
1 œuf moyen
1 cuil. à café de café soluble
   dissous dans de l'eau chaude
225 g de farine avec levure
1 pincée de sel.

Pour l'appareil
50 g de beurre
75 g de sucre glace
1 cuil. à café de café soluble
   dissous dans de l'eau chaude

Voir illustration page 49

♦ COFFEE CREAMS ♦

Délicieux sablés au café.

♦ **Préparation** 20 minutes ♦ **Cuisson** 10-15 minutes ♦ **Four** 180° (5) ♦

Mélangez le saindoux et le sucre jusqu'à obtention d'une pâte onctueuse. Ajoutez le sirop, puis l'œuf et le café. Remuez à l'aide d'une fourchette. Incorporez ensuite la farine et le sel. Vous obtenez une consistance plus ferme. Travaillez pour obtenir une pâte souple.

Farinez-vous les mains et formez une trentaine de boules que vous placerez sur la plaque graissée du four préalablement chauffé à 180° (5) en veillant à les espacer au mieux. Sur le dessus de chaque boule, pressez le dos d'une fourchette afin de décorer.

Mettez au four 10 à 15 minutes pour obtenir une jolie couleur brun doré. Laissez refroidir sur la plaque.

Pendant ce temps, préparez l'appareil en mélangeant tous les ingrédients. Cette garniture vous servira à assembler les boules deux par deux.

INGRÉDIENTS
(pour 25 biscuits environ)
225 g de farine
1/2 cuil. à café d'épices
   en poudre (cannelle,
   cardamome, etc.)
1/2 cuil. à café de gingembre
   en poudre
65 g de margarine
25 g de saindoux
65 g de sucre roux
20 g de bicarbonate de soude
2 cuil. à café de crème de tartre
10 cl de sirop de glucose
   chauffé au bain-marie

Voir illustration page 49

♦ CORNISH FAIRINGS ♦

A l'origine, ces biscuits se vendaient pendant les foires.

♦ **Préparation** 10 minutes ♦ **Cuisson** 15-20 minutes ♦ **Four** 180° (5) ♦

Mélangez la farine, les épices et le gingembre. Incorporez-y la matière grasse fractionnée et travaillez jusqu'à obtention d'une pâte friable. Ajoutez le sucre. Vous aurez mélangé à part le bicarbonate, la crème de tartre et le sirop de glucose chaud que vous verserez ensuite dans la pâte. Travaillez à la fourchette. La pâte doit présenter une consistance souple.

Sur la planche farinée, étalez la pâte. Donnez-lui 1 cm d'épaisseur. A l'emporte-pièce, façonnez de petits rectangles ou des ronds de 5 cm de diamètre que vous placerez sur la plaque graissée du four préalablement chauffé à 180° (5) en veillant à les espacer au mieux.

Faites cuire 15 à 20 minutes pour qu'ils prennent couleur. Laissez refroidir 2 à 3 minutes avant de les manipuler.

◆ JUMBLES ◆

Ces biscuits en forme de S font la joie des enfants.

◆ **Préparation** 20-25 minutes ◆ **Cuisson** 15-20 minutes ◆ **Four** 180° (5) ◆

Travaillez le sucre et le beurre en pommade. Ajoutez l'œuf et l'arôme d'amandes. Remuez. Puis versez la farine et la poudre d'amande. Pétrissez le tout : votre pâte doit présenter une consistance ferme, mais souple.

Divisez-la en quatre. Roulez ensuite chaque portion de manière à former un boudin de 1 à 2 cm de diamètre. Découpez alors des morceaux de 10 cm de long auxquels vous donnerez la forme de S.

Placez les biscuits sur la plaque graissée du four préalablement chauffé à 180° (5) en veillant à les espacer au mieux. Faites cuire 15 à 20 minutes. Ils doivent dorer très légèrement. Laissez refroidir 2 à 3 minutes avant de les manipuler.

INGRÉDIENTS
(pour 35 biscuits environ)
175 g de sucre en poudre
100 g de beurre
1 œuf moyen
1/2 cuil. à café d'arôme d'amandes
225 g de farine
100 g d'amandes en poudre

◆ LEMON CRUMBLE BISCUITS ◆

Délicieux avec une tasse d'Earl Grey ou de Lapsang Souchong.

◆ **Préparation** 50 minutes ◆ **Cuisson** 10-15 minutes ◆ **Four** 170° (5) ◆

Travaillez la matière grasse avec la farine jusqu'à obtention d'une pâte friable. Ajoutez le sucre, les jaunes d'œufs et les zestes de citron. Mélangez à la fourchette avant de pétrir à la main. Votre pâte doit devenir souple. Recouvrez d'un torchon et laissez reposer au frais 30 minutes.

Façonnez ensuite de petites boules de 3 cm de diamètre que vous placerez sur la plaque graissée du four préalablement chauffé à 170° (5), en veillant à les espacer au mieux. Pour décorer le dessus, pressez avec le dos d'une fourchette.

Faites cuire 12 à 15 minutes. Ils doivent dorer légèrement. Laissez refroidir 2 à 3 minutes avant de les manipuler.

INGRÉDIENTS
(pour 20 à 22 biscuits)
225 g de farine
100 g de beurre ou de margarine
175 g de sucre en poudre
2 jaunes d'œufs
le zeste de 2 citrons

INGRÉDIENTS
(pour 12 à 14 biscuits)
1 blanc d'œuf
75 g d'amandes en poudre
90 g de sucre en poudre
1/2 cuil. à café d'arôme
    d'amandes
12 à 14 moitiés d'amandes
    émondées

Voir illustration page 129

♦ MACARONS ♦

Qui ne connaît ces délices aux amandes?

♦ **Préparation** 5 minutes ♦ **Cuisson** 20-25 minutes ♦ **Four** 180° (5) ♦

Battez le blanc en neige ferme. Incorporez-y alors les amandes en poudre, le sucre et l'arôme d'amandes. Enduisez vos mains de sucre et à l'aide d'une cuillère à café, façonnez de petites boules que vous placerez sur la plaque du four, recouverte de papier sulfurisé, en veillant à les espacer au mieux. Décorez le dessus de chaque macaron à l'aide d'une moitié d'amande émondée.

Laissez au four 20 à 25 minutes. Ils doivent dorer légèrement. Laissez refroidir complètement avant de les manipuler.

INGRÉDIENTS
(pour 24 à 26 biscuits)
225 g de sucre roux + 3 cuil.
    à soupe
75 g de beurre ou de margarine
2 œufs moyens
1 cuil. à café d'arôme de vanille
175 g de farine
1 pincée de sel
1/2 cuil. à café de levure
    chimique
225 g de flocons d'avoine

♦ OATMEAL COOKIES ♦

Étonnants biscuits au goût de céréales.

♦ **Préparation** 15 minutes ♦ **Cuisson** 10 minutes ♦ **Four** 190° (6) ♦

Travaillez le sucre et la matière grasse en pommade. Incorporez progressivement les œufs et l'arôme de vanille en remuant vigoureusement. A l'aide d'une cuillère, ajoutez ensuite la farine, le sel, la levure et les flocons d'avoine. Fouettez pour obtenir un mélange homogène.

Déposez des pastilles de pâte sur la plaque du four préalablement chauffé à 190° (6), en veillant à les espacer au mieux. Saupoudrez-les du sucre roux que vous aurez réservé.

Faites cuire 10 minutes, le temps qu'elles prennent couleur. Patientez une minute avant de transférer sur grille pour que les biscuits finissent de refroidir.

◆ SHORTBREAD ◆

Ces traditionnels biscuits de Noël se dégustent avec plaisir tout au long de l'année.

◆ **Préparation** 10 minutes ◆ **Cuisson** 20-25 minutes ◆ **Four** 170° (5) ◆

INGRÉDIENTS
(pour 16 biscuits)
350 g de farine avec levure
100 g de Maïzena
225 g de beurre
175 g de sucre en poudre
quelques gouttes d'arôme
  d'amandes

Dans une terrine, mélangez la farine et la Maïzena. Dans une autre, travaillez le beurre et le sucre en pommade. Ajoutez-y l'arôme d'amandes et mélangez à nouveau. Incorporez alors farine et Maïzena jusqu'à obtention d'un mélange léger et homogène.

Versez le tout dans une tourtière à fond mobile de 24 cm de diamètre que vous aurez graissée et recouverte de papier sulfurisé. Lissez la surface de la pâte, puis dessinez au couteau 16 parts. Décorez avec le dos d'une fourchette.

Mettez au four 20 à 25 minutes. Le biscuit doit dorer légèrement. Laissez refroidir 5 à 10 minutes avant de démouler. Découpez en suivant les marques effectuées au préalable.

◆ SHREWSBURY BISCUITS ◆

Délicieux biscuits aux raisins secs agréablement parfumés au citron.

◆ **Préparation** 15 minutes ◆ **Cuisson** 15-20 minutes ◆ **Four** 180° (5) ◆

INGRÉDIENTS
(pour 12 à 14 biscuits)
100 g de beurre ou de margarine
100 g de sucre en poudre
  + 2 cuil. à soupe
2 cuil. à café de zeste de citron
  finement râpé
50 g de raisins de Corinthe
175 g de farine

Voir illustration page 49

Travaillez le sucre et la matière grasse en pommade. Ajoutez-y le zeste de citron, les raisins et la farine. Pétrissez jusqu'à obtention d'une pâte ferme.

Sur la planche farinée, étalez très finement, puis découpez, à l'emporte-pièce, des ronds de 7 à 8 cm de diamètre. Placez-les sur la plaque graissée du four préalablement chauffé à 180° (5).

Mettez au four 15 à 20 minutes. Laissez dorer très légèrement. Dès la cuisson terminée, saupoudrez avec le sucre réservé. Patientez 2 à 3 minutes avant de les placer avec précaution sur une grille pour qu'ils finissent de refroidir.

PETITS GÂTEAUX

Dans ce chapitre, vous découvrirez maintes recettes délicieuses: brandy snaps, Eccles cakes, lemon meringue fingers et même les prestigieux maids of honour (Demoiselles d'honneur) qui auraient été confectionnés par Anne Boleyn, alors dame d'honneur de la reine, désireuse de séduire le roi Henry VIII. Ce dernier, très gourmand, les baptisa ainsi par galanterie envers la jeune femme pour laquelle il devait répudier Catherine d'Aragon.

INGRÉDIENTS
(pour 16 gâteaux)

Pour la pâte
75 g de farine
une pincée de sel
25 g de sucre en poudre
50 g de margarine ou de beurre

Pour l'appareil
225 g de cerises confites
50 g de margarine
50 g de sucre en poudre

♦ ALMOND & CHERRY SQUARES ♦

Délicieuse combinaison de cerises et d'amandes.

♦ **Préparation** 15 minutes ♦ **Cuisson** 35-40 minutes ♦ **Four** 190° (6) ♦

Dans une terrine, mélangez la farine, le sel et le sucre ainsi que la matière grasse en morceaux. Avec la pâte obtenue garnissez un moule carré de 20 cm, graissé et recouvert de papier sulfurisé.

Disposez ensuite les cerises coupées en deux.

Travaillez la margarine et le sucre en pommade. Ajoutez l'œuf et mélangez soigneusement. Puis, versez les amandes en poudre et l'arôme d'amandes en remuant vivement. Ajoutez un peu de lait si le mélange vous paraît épais et versez-le sur la pâte recouverte de cerises.

Mettez au four 35 à 40 minutes, le temps que le gâteau prenne couleur. Laissez refroidir avant de découper en 16 petits carrés.

1 œuf, battu
50 g d'amandes en poudre
1/2 cuil. à café d'arôme
  d'amandes
1 à 2 cuil. à café de lait,
  si nécessaire

♦ BAKEWELL TARTS ♦

Ces tartelettes doivent leur nom à la ville de Bakewell, dans le Derbyshire.

♦ **Préparation** 30 minutes ♦ **Cuisson** 15-20 minutes ♦ **Four** 180° (5) ♦
♦ **Attention :** prévoir 30 minutes de plus pour confectionner la pâte brisée ♦

INGRÉDIENTS
(pour 15 tartelettes)
225 g de farine pour réaliser
  une pâte brisée comme
  indiqué page 139

Pour l'appareil
50 g de margarine ou de beurre
50 g de sucre en poudre
1 œuf, battu
1/2 cuil. à café d'arôme
  d'amandes
30 g de farine avec levure
15 g d'amandes en poudre
150 g de confiture de fraises ou
  de framboises
15 moitiés de cerises confites

Travaillez la matière grasse et le sucre en pommade. Ajoutez l'œuf et l'arôme d'amandes en mélangeant soigneusement. Incorporez alors la farine et les amandes en poudre. Travaillez à la cuillère pour obtenir un mélange homogène.

Étalez finement la pâte sur une planche farinée. Puis préparez quinze moules individuels, graissés et recouverts de papier sulfurisé. Garnissez ensuite d'une couche de confiture sur laquelle vous mettrez quelques cuillerées de l'appareil.

Faites dorer 15 à 20 minutes. La cuisson terminée, décorez chaque tartelette à l'aide d'une moitié de cerise et patientez 5 à 10 minutes avant de démouler pour que les gâteaux finissent de refroidir sur grille.

INGRÉDIENTS
(pour 14 gâteaux)

Pour la pâte
25 g de beurre ou de margarine
65 g de sucre en poudre
1 1/2 cuil. à soupe de sirop
de glucose
25 g de farine
1 cuil. à café de gingembre
en poudre

Pour l'appareil
1 petit pot de crème fraîche
14 morceaux de gingembre
confit

Voir illustration page 81

♦ BRANDY SNAPS ♦

De forme curieuse, les brandy snaps exigent bien du doigté pour être réussis. Pour que vous les enrouliez avec succès autour du manche de vos cuillères en bois, ils doivent être juste à la bonne température.

♦ **Préparation** 10 minutes ♦ **Cuisson** 10-12 minutes ♦ **Four** 150° (4) ♦

Travaillez la matière grasse, le sucre et le sirop de glucose en pommade. Ajoutez la farine et le gingembre en poudre. Remuez. Roulez ensuite, entre vos mains farinées, 14 petites boules de pâte que vous disposerez sur la plaque graissée du four préalablement chauffé à 150° (4) en veillant à bien les espacer. Les brandy snaps gonflent beaucoup.

Mettez au four 10 à 12 minutes. Ils doivent prendre une belle couleur brune. Sortez-les et laissez légèrement refroidir, puis appliquez 3 à 4 boules de pâte sur les manches de 4 cuillères en bois. Façonnez délicatement de manière à former un rouleau. Laissez prendre forme durant 5 à 10 minutes. Quand ils ont durci, ôtez-les délicatement et placez-les sur grille jusqu'à refroidissement complet.

Pendant ce temps, fouettez la crème fraîche pour lui donner une consistance ferme. A l'aide d'une poche à douille, garnissez ensuite les gâteaux. Décorez d'un morceau de gingembre confit.

INGRÉDIENTS
(pour 16 gâteaux)
100 g de farine avec levure
50 g de cacao en poudre
100 g de margarine
225 g de sucre roux
2 œufs moyens
15 cl de lait
1 cuil. à café d'arôme de vanille
100 g de noix hachées
100 g de raisins secs

Voir illustration page 96

♦ CHOCOLATE SQUARES ♦

Étonnants délices aux fruits secs et au chocolat.

♦ **Préparation** 10 minutes ♦ **Cuisson** 30 minutes ♦ **Four** 180° (5) ♦

Dans une terrine, mélangez la farine et le cacao. Dans une autre, travaillez la margarine et le sucre en pommade. Ajoutez les œufs l'un après l'autre en remuant vigoureusement à chaque fois. Incorporez peu à peu le mélange farine-cacao en délayant avec une pointe de lait entre chaque addition. Ajoutez ensuite l'arôme de vanille, les noix et les raisins secs.

Versez le mélange dans un moule carré de 20 cm, graissé et recouvert de papier sulfurisé. Mettez au four (180°, 5) 30 minutes. Le gâteau doit avoir gonflé et présenter une croûte ferme. Laissez refroidir complètement avant de découper 16 petits carrés que vous démoulerez avec précaution.

♦ CREAM CHOUX BUNS ♦

Vous pouvez remplacer fraises et framboises par tout autre fruit de votre choix, ananas et pêches par exemple.

♦ **Préparation** 20 minutes ♦ **Cuisson** 40 minutes ♦ **Four** 200° (6) et 170° (5) ♦

A l'aide d'une poche à douille, préparez 24 petits choux sur la plaque graissée du four préalablement chauffé à 200° (6). Votre pâte à choux doit se travailler encore tiède.

Laissez cuire 30 minutes sans ouvrir la porte du four sous peine d'affaisser les choux. Réduisez alors la température à 170° (5) et patientez encore 10 minutes. Si la pâte dore trop vite, protégez-la avec de l'aluminium ménager.

Coupez les choux en deux dans le sens de l'épaisseur. Assurez-vous que l'intérieur des gâteaux est bien cuit. Sinon, remettez quelques instants dans le four éteint.

Fouettez la crème fraîche pour lui donner une consistance très ferme. Ajoutez-y peu à peu le kirsch et le sucre.

Garnissez-en les choux froids. Placez les fruits sur le dessus et couronnez avec la moitié de choux restant saupoudrée de sucre glace.

INGRÉDIENTS
(pour 24 petits choux)
100 g de farine pour réaliser une pâte à choux comme indiqué page 136

Pour l'appareil
1 petit pot de crème fraîche
1 cuil. à soupe de kirsch
1 cuil. à soupe de sucre en poudre
450 g de fraises ou de framboises
3 à 4 cuil. à soupe de sucre glace

Voir illustration page 65

♦ CREAM SLICES ♦

Pourquoi ne pas essayer ces millefeuilles d'un autre genre?

♦ **Préparation** 30 minutes ♦ **Cuisson** 8-10 minutes ♦ **Four** 200° (6) ♦
Attention : prévoir 4 h de plus pour confectionner la pâte feuilletée ♦

Sur la planche farinée, étalez finement votre pâte. Piquez-la à la fourchette et découpez-y 15 portions d'environ 10×6 cm. Placez-les sur la plaque du four préalablement chauffé à 220° (6). Vous aurez veillé à bien graisser la plaque et à l'humecter d'eau. Mettez au four 8 à 10 minutes, le temps que la pâte prenne couleur. Laissez ensuite refroidir sur grille, puis découpez chaque portion dans le sens de la longueur.

Mélangez maintenant le sucre glace et l'eau. Réservez 3 à 4 cuillères à soupe du fondant obtenu. Puis, à l'aide d'une spatule, étalez le fondant restant sur le dessus de 10 de vos portions. Laissez sécher.

INGRÉDIENTS
(pour 10 gâteaux)
100 g de farine pour réaliser une pâte feuilletée 6 tours comme indiqué page 137

Pour l'appareil
225 g de sucre glace
1 cuil. à soupe d'eau
quelques gouttes de colorant rose
1 petit pot de crème fraîche
50 g de confiture de fraises ou de framboises, ou 100 g de fruits frais coupés en lamelles

Voir illustration page 65

Ajoutez alors 3 à 4 gouttes de colorant rose au fondant réservé, que vous mettrez dans une poche à douille afin de dessiner sur le dessus glacé des 10 portions trois fines lignes horizontales. Tracez ensuite des lignes perpendiculaires afin d'obtenir un joli effet décoratif. Laissez en attente.

Fouettez la crème fraîche jusqu'à lui donner une consistance ferme. Recouvrez maintenant 10 autres portions d'une couche de confiture ou de fruits frais sur laquelle vous verserez la crème. Placez alors les 10 portions restantes sur le mélange confiture-crème. Remettez une nouvelle couche de confiture et de crème et, sur le dessus de cet ensemble, appliquez les 10 portions décorées demeurées en attente.

♦ ECCLES CAKES ♦

Les Eccles cakes ressemblent beaucoup à maints gâteaux du Royaume-Uni tels les Banbury cakes, les Coventry God cakes, les Hawkshead cakes et les Chorley cakes. Seules leurs formes varient. Les Eccles cakes sont, eux, ronds et petits.

♦ **Préparation** 25 minutes ♦ **Cuisson** 10-15 minutes ♦ **Four** 230° (7) ♦
♦ **Attention :** prévoir 2 h de plus pour confectionner la pâte feuilletée rapide ♦

Sur la planche farinée, faites 12 abaisses rondes de 10 cm de diamètre.

Dans une terrine, travaillez le beurre et le sucre en pommade. Ajoutez cédrats et raisins secs. Placez ensuite une cuillerée à café de ce mélange au centre de chaque abaisse. Enveloppez-le avec l'abaisse en veillant à mettre la soudure en dessous. Aplatissez légèrement de manière à ce que les raisins affleurent, puis disposez sur la plaque graissée du four. Laissez reposer au frais 10 à 15 minutes. Pendant ce temps, faites chauffer le four à 230° (7).

Pratiquez trois fines entailles sur le dessus de chaque gâteau que vous badigeonnerez de blanc d'œuf battu. Saupoudrez de sucre en poudre. Mettez au four 10 à 15 minutes. Les Eccles cakes doivent à peine dorer. Laissez refroidir sur grille.

INGRÉDIENTS
(pour 12 gâteaux)
100 g de farine pour réaliser une pâte feuilletée rapide comme indiqué page 139

Pour l'appareil
25 g de beurre
25 g de sucre roux
25 g de cédrats
75 g de raisins de Corinthe

Pour la décoration
1 blanc d'œuf battu
2 cuil. à soupe de sucre en poudre

Voir illustration page 96

◆ ÉCLAIRS ◆

Pour les éclairs, un secret : veillez à humidifier le papier sulfurisé sur lequel vous les aurez disposés durant la cuisson.

◆ **Préparation** 30 minutes ◆ **Cuisson** 25-30 minutes ◆ **Four** 200° (6) ◆

Avec la pâte à choux placée dans une poche à douille ronde de la grosseur du petit doigt, couchez, sur une plaque graissée et recouverte de papier sulfurisé dont vous aurez humidifié la face posée contre la tôle, des bâtonnets de 10 à 14 cm de long.

Faites cuire 25 à 30 minutes sans ouvrir la porte du four. Dès que vous les aurez sortis, pratiquez une incision sur le côté des gâteaux afin que s'échappe la vapeur. Laissez ensuite refroidir sur grille.

Battez la crème fraîche jusqu'à une consistance très ferme, puis garnissez-en les éclairs à l'aide d'une poche à douille.

Faites fondre beurre et chocolat au bain-marie. Remuez constamment. Trempez ensuite le dessus de chaque éclair dans le glaçage ainsi obtenu. Faites sécher sur grille quelques minutes.

INGRÉDIENTS
(pour 14 gâteaux)
100 g de farine pour réaliser une pâte à choux comme indiqué page 136

Pour l'appareil
1 petit pot de crème fraîche

Pour la décoration
25 g de beurre
175 g de chocolat noir

Voir illustration page 97

◆ FAIRY CAKES ◆

Ces gâteaux se prêtent fort bien à maintes décorations. Vous trouverez ici les nôtres, mais n'hésitez pas à laisser libre cours à votre imagination.

◆ **Préparation** 30 minutes ◆ **Cuisson** 10 minutes ◆ **Four** 200° (6) ◆

Travaillez la margarine et le sucre en pommade. Ajoutez l'œuf et fouettez énergiquement. Incorporez la farine en délayant bien, puis ajoutez l'eau sans cesser de remuer. A l'aide d'une cuillère, remplissez des moules individuels ronds garnis de moules en papier. Mettez au four chauffé à 200° (6) 10 minutes, le temps que la pâte prenne couleur. Laissez refroidir avant de démouler les gâteaux toujours protégés par les moules en papier.

LA DÉCORATION

Travaillez le beurre et le sucre glace jusqu'à obtention d'un mélange mousseux. Ajoutez le lait et remuez pour éliminer tout

INGRÉDIENTS
(pour 12 gâteaux)

Pour la pâte
50 g de margarine
50 g de sucre en poudre
1 œuf
100 g de farine avec levure
1 cuil. à soupe d'eau bouillante

Pour la décoration
50 g de beurre
100 g de sucre glace
1 à 2 cuil. à soupe de lait
2 cuil. à café de confiture de fraises ou de framboises
1 cuil. à café de jus de citron
1 cuil. à café de zeste de citron

8 rondelles d'orange ou de citron confits, ou les zestes des mêmes fruits présentés en fines lamelles
1 cuil. à café de cacao
8 pastilles de chocolat

grumeau. Divisez ensuite en 3 portions égales. Dans la première, mettez la confiture, dans la deuxième le jus de citron et le zeste de citron finement râpé, dans la dernière le cacao.

• Pour réaliser 4 fairy cakes en forme de papillons, découpez la partie supérieure de 4 gâteaux. Coupez ensuite en deux les ronds obtenus de manière à avoir 8 demi-cercles. Fourrez maintenant la partie supérieure de vos 4 gâteaux à l'aide du glaçage à la confiture, puis placez 2 demi-cercles de part et d'autre du gâteau de manière à former les ailes d'un papillon.

• Pour réaliser 4 fairy cakes en forme de citron, badigeonnez 4 gâteaux avec le glaçage au citron. Décorez-les ensuite à l'aide des rondelles de fruits confits ou des zestes de fruits frais.

• Pour réaliser 4 fairy cakes au chocolat, badigeonnez les 4 gâteaux restants avec le glaçage au chocolat. Décorez-les ensuite avec les pastilles de chocolat.

INGRÉDIENTS
(pour 10 tartelettes)
100 g de farine pour réaliser une pâte brisée comme indiqué page 139

Pour l'appareil
50 g de beurre
50 g de sucre en poudre
1 œuf
1 cuil. à soupe de farine
50 g d'amandes en poudre
2 à 3 gouttes d'arôme d'amandes
40 moitiés d'amandes émondées

Pour la décoration
2 cuil. à soupe de confiture d'abricots
2 cuil. à café d'eau

Voir illustration page 17

♦ FRANGIPANI TARTS ♦

Peut-on résister à ces tartelettes aux amandes?

♦ **Préparation** 25 minutes ♦ **Cuisson** 20 minutes ♦ **Four** 200° (6) ♦
♦ **Attention:** prévoir 30 minutes de plus pour confectionner la pâte brisée ♦

Étalez la pâte sur la planche farinée. A l'emporte-pièce, découpez 10 abaisses rondes de 7 à 8 cm de diamètre dont vous garnirez dix moules individuels graissés. Laissez reposer 15 minutes.

Pendant ce temps, travaillez le beurre et le sucre en pommade. Ajoutez-y ensuite l'œuf en remuant vigoureusement, puis la farine, les amandes en poudre et l'arôme d'amandes. Mélangez bien. Versez alors le mélange dans les moules que vous remplirez aux deux tiers. Placez 4 moitiés d'amandes sur le dessus de chaque tartelette.

Mettez au four chauffé à 200° (6) 20 minutes, le temps que le mélange prenne couleur. Pendant ce temps, faites chauffer dans une casserole la confiture et l'eau. Amenez ce mélange à ébullition, passez au tamis, puis remettez sur le feu. Sortez les tartelettes du four et badigeonnez-les avec le glaçage d'abricots. Laissez refroidir sur grille.

Petits gâteaux En haut à gauche, Maids of honour (voir p. 67); en haut à droite, Nut cherry shortcake (voir p. 68); au centre, Strawberry tarts (voir p. 69); en bas, Lemon grape slices (voir p. 65).

♦ LEMON GRAPE SLICES ♦

Avec ces gâteaux, le succès est garanti auprès de vos invités.

♦ **Préparation** 30 minutes ♦ **Cuisson** 10-15 minutes ♦ **Four** 230° (7) ♦
♦ **Attention:** prévoir 4 h de plus pour confectionner la pâte feuilletée ♦

Sur la planche farinée, étalez la pâte feuilletée pour en faire un rectangle de 35 × 20 cm. Découpez-y alors 14 abaisses de 10 × 5 cm que vous placerez sur la plaque graissée du four préalablement chauffé à 230° (7). Faites cuire 10 à 15 minutes, le temps que la pâte prenne couleur. Laissez refroidir sur grille.

Pendant ce temps, mélangez dans une casserole la Maïzena, le sucre et le lait. Amenez à ébullition sans cesser de remuer afin que le mélange épaississe. Ajoutez alors le jus de citron et le demi-zeste. Incorporez ensuite le jaune d'œuf en remuant soigneusement. Arrêtez le feu et laissez refroidir. Ajoutez ensuite la crème fraîche en travaillant jusqu'à obtention d'un mélange homogène.

Réservez 14 grains de raisin pour la décoration. Coupez les grains restants en deux et épépinez-les. Mélangez à l'appareil.

Prenez maintenant 7 morceaux de pâte cuite. Retournez-les et recouvrez-les d'une couche du mélange citron-raisin. Appliquez ensuite les 7 morceaux restants sur le dessus du mélange.

Mélangez le sucre glace et l'eau que vous étalerez à la spatule sur les lemon grape slices.

Battez le blanc d'œuf en neige très ferme. Plongez-y ensuite les 14 grains de raisin, puis dans le sucre en poudre réservé. Laissez sécher, puis disposez deux par deux sur chaque gâteau.

INGRÉDIENTS
(pour 7 gâteaux)
225 g de farine pour réaliser une pâte feuilletée 6 tours comme indiqué page 137

Pour l'appareil
25 g de Maïzena
40 g de sucre en poudre
15 cl de lait
le jus d'un citron
le zeste finement râpé d'1/2 citron
1 œuf, dont vous réserverez le blanc
4 cuil. à soupe de crème fraîche
150 g de raisin blanc ou noir dont vous réserverez 14 grains

Pour la décoration
100 g de sucre glace
1 à 2 cuil. à soupe d'eau
2 cuil. à soupe de sucre en poudre

Voir illustration page 64

♦ LEMON MERINGUE FINGERS ♦

Exquise combinaison de meringue et de citron.

♦ **Préparation** 15 minutes ♦ **Cuisson** 40-45 minutes ♦ **Four** 170° (5) ♦

Travaillez la matière grasse et le sucre en pommade. Ajoutez-y les jaunes d'œufs, le zeste et le jus de citron. Remuez. Ajoutez la

INGRÉDIENTS
(pour 8 à 12 gâteaux)
100 g de beurre ou de margarine
100 g de sucre en poudre
3 œufs, dont vous réserverez les blancs
le zeste finement râpé d'un citron
2 cuil. à café de jus de citron

Le thé à l'anglaise (Dans le sens des aiguilles d'une montre et en partant du haut) Special chocolate cake (voir p. 81); Cream choux buns (voir p. 61); Cream slices (voir p. 61); Meringues Marguerites (voir p. 115).

225 g de farine avec levure
75 g de noix hachées
175 g de sucre glace

Voir illustration page 17

farine et travaillez le mélange à la fourchette afin d'obtenir une pâte épaisse que vous verserez dans un moule carré de 20 cm, chemisé. Étalez à la spatule et saupoudrez de noix.

Battez les blancs en neige ferme. Ajoutez petit à petit la moitié du sucre glace. Versez enfin le sucre restant à l'exception d'une cuillerée à soupe que vous réserverez. Étalez ce mélange sur la pâte saupoudrée de noix. Avec la pointe d'un couteau, façonnez une croûte craquelée. Saupoudrez avec le sucre réservé.

Mettez au four chauffé à 170° (5), 40 à 45 minutes. Laissez refroidir dans le moule avant de découper 8 gros ou 12 petits gâteaux.

INGRÉDIENTS
(pour 20 tartelettes)
100 g de farine pour réaliser une pâte sablée comme indiqué page 138

Pour l'appareil
50 g de beurre
2 œufs
225 g de sucre en poudre
le jus et le zeste de 2 citrons

Pour la décoration
20 rondelles d'orange ou de citron confits ou les zestes des mêmes fruits présentés en fines lamelles

♦ LEMON TARTS ♦

L'appareil au citron utilisé pour ces tartelettes peut également se déguster avec des scones.

♦ **Préparation** 30 minutes ♦ **Cuisson** 10-15 minutes ♦ **Four** 200° (6) ♦
♦ **Attention :** prévoir 15 minutes de plus pour confectionner la pâte sablée ♦

Travaillez au bain-marie le beurre, les œufs, le sucre, le jus et le zeste des citrons jusqu'à obtention d'un mélange épais. Laissez refroidir.

Pendant ce temps, foncez 20 moules individuels graissés. Protégez la pâte sablée avec du papier sulfurisé sur lequel vous disposerez des haricots secs.

Mettez au four chauffé à 200° (6), 10 à 15 minutes. Sortez, retirez papier et haricots. Attendez le refroidissement complet avant de démouler. Transférez alors les tartelettes sur un plat.

Placez l'appareil au citron dans une poche à douille à bec cannelé ou étoilé et garnissez les fonds de tarte. Décorez enfin avec les rondelles de fruits confits ou les zestes frais.

◆ MAIDS OF HONOUR ◆

En attendant de les déguster dans la belle ville de Windsor...

◆ **Préparation** 25 minutes ◆ **Cuisson** 35-40 minutes ◆ **Four** 180° (5) ◆

Sur la planche farinée, étalez la pâte dans laquelle vous découperez 24 à 36 abaisses selon la taille des moules individuels choisis. Foncez les moules déjà graissés.

Dans une terrine, mélangez le beurre et le fromage blanc. Incorporez ensuite les œufs, le cognac et le sucre. Dans une autre terrine, travaillez la purée de pommes de terre, les amandes en poudre, la muscade ainsi que le jus et le zeste des citrons. Ajoutez progressivement le mélange beurre-fromage blanc. Mélangez soigneusement, puis garnissez les fonds de tarte.

Mettez au four chauffé à 180° (5), 35 à 40 minutes. Les tartes doivent être fermes. Patientez 2 à 3 minutes avant de démouler et faites refroidir sur grille.

INGRÉDIENTS
(pour 24 à 36 gâteaux)
450 g de farine pour réaliser
   une pâte sablée comme
   indiqué page 138

Pour l'appareil
75 g de beurre
100 g de fromage blanc
2 œufs
4 cuil. à soupe de cognac
75 g de sucre en poudre
75 g de purée de pommes
   de terre froide
25 g d'amandes en poudre
1/2 cuil. à café de muscade
   en poudre
le zeste finement râpé de
   2 citrons
le jus d'un citron

Voir illustration page 64

◆ MERINGUES ◆

Un grand classique des goûters...

◆ **Préparation** 10 minutes ◆ **Cuisson** 4 h-5 h ◆ **Four** 110° (3) ◆

Battez les blancs, avec le sel, en neige très ferme. D'une main, versez en pluie la moitié du sucre tout en mêlant à la spatule de l'autre. Poursuivez l'opération avec le sucre restant sans remuer brutalement ni trop longtemps.

Sur la plaque du four recouverte de papier sulfurisé graissé, posez 10 à 12 cuillerées de pâte. Mettez au four très doux (110°, 3) pendant 4 à 5 heures. Rangez ensuite dans une boîte hermétiquement close jusqu'au moment où vous désirerez utiliser les meringues.

Fouettez alors la crème pour lui donner une consistance ferme. Placez-la dans une poche à douille dont le bec a le diamètre d'un petit doigt et enduisez la partie lisse d'une meringue. Puis, appliquez-y une autre meringue. Placez le tout dans un moule en papier. Saupoudrez de copeaux de chocolat ou de noix hachées.

INGRÉDIENTS
(pour 10 à 12 meringues)
2 blancs d'œufs
une pincée de sel
100 g de sucre en poudre

Pour l'appareil
15 cl de crème fraîche
copeaux de chocolat
   ou noix hachées

INGRÉDIENTS
(pour 8 gâteaux)
175 g de farine
50 g de sucre en poudre
1 cuil. à café de muscade
  en poudre
100 g de margarine

Pour la décoration
50 g de noisettes hachées gros
75 g de cerises confites,
  coupées en 4
3 cuil. à soupe de miel solidifié

Voir illustration page 64

♦ NUT CHERRY SHORTCAKE ♦

Ce gâteau joliment décoré agrémentera votre goûter.

♦ **Préparation** 10 minutes ♦ **Cuisson** 30-35 minutes ♦ **Four** 170° (5) ♦

Mélangez la farine, le sucre, la muscade et la margarine fractionnée jusqu'à obtention d'une pâte collante. Versez dans un moule à manqué de 18 cm de diamètre que vous aurez graissé. Lissez la surface de la pâte avec une spatule.

Mettez au four chauffé à 170° (5), 30 à 35 minutes, le temps que la pâte prenne couleur. Laissez refroidir.

Dans une petite casserole, jetez ensemble les noix, les cerises et le miel. Amenez à ébullition sans cesser de remuer, puis réduisez le feu de manière à laisser mijoter 2 minutes pour que le mélange épaississe. Étalez ensuite sur le dessus du gâteau. Laissez refroidir avant de découper en 8.

INGRÉDIENTS
(pour 16 gâteaux)

Pour la pâte
150 g de farine
1 cuil. à café de bicarbonate
  de soude
125 g de flocons d'avoine
200 g de sucre roux
175 g de beurre fondu
1 jus de citron

Pour l'appareil
225 g de dattes, hachées
15 cl d'eau
2 cuil. à soupe de sucre roux
le jus d'un citron
le zeste finement râpé de
  2 citrons

♦ PARK PIES ♦

N'hésitez pas à utiliser généreusement le jus de citron sous peine d'obtenir une pâtisserie trop sucrée.

♦ **Préparation** 20 minutes ♦ **Cuisson** 30 minutes ♦ **Four** 190° (6) ♦

Commencez par préparer l'appareil en plaçant dans une casserole les dattes, l'eau, le sucre ainsi que le jus et les zestes de citron. Amenez à ébullition et laissez cuire à feu doux, sans couvrir, en remuant de temps à autre jusqu'à obtention d'un mélange lisse et épais. Si nécessaire, ajoutez un tout petit peu d'eau. Retirez du feu et laissez refroidir.

Dans une terrine, travaillez ensuite la farine, le bicarbonate, les flocons d'avoine et le sucre. Ajoutez le beurre fondu et le jus de citron. Mélangez jusqu'à obtention d'une pâte homogène. Réservez un tiers de pâte et foncez 16 moules individuels graissés d'environ 7 cm de diamètre. Garnissez généreusement les fonds de tarte, puis recouvrez avec le tiers de pâte réservé.

Mettez au four chauffé à 190° (6) 30 minutes, le temps de dorer. Sortez et patientez 15 minutes avant de démouler. Laissez refroidir sur grille.

♦ QUEEN CAKES ♦

Voici une recette anglaise traditionnelle,
agrémentée de crème fraîche.

♦ **Préparation** 5 minutes ♦ **Cuisson** 20-25 minutes ♦ **Four** 190° (6) ♦

INGRÉDIENTS
(pour 18 gâteaux)
100 g de beurre
ou de margarine
100 g de sucre
1 1/2 cuil. à soupe de crème
fraîche
1 cuil. à café de jus de citron
2 œufs
225 g de farine
1/2 cuil. à café de levure
chimique
100 g de raisins de Corinthe
1/2 à 1 cuil. à soupe de lait

Travaillez la matière grasse et le sucre en pommade. Ajoutez la crème fraîche et le jus de citron. Remuez soigneusement. Incorporez les œufs l'un après l'autre en mélangeant bien à chaque addition. Ajoutez enfin la farine, la levure, les raisins et la pointe de lait. Mélangez.

Versez l'appareil dans les 18 moules individuels graissés et garnis de moules en papier. Mettez au four chauffé à 190° (6) 20 à 25 minutes, le temps que le mélange prenne couleur. Laissez refroidir sans démouler.

♦ STRAWBERRY TARTS ♦

Un grand classique de la tartelette.

♦ **Préparation** 30 minutes ♦ **Cuisson** 10 minutes ♦ **Four** 190° (6) ♦
♦ **Attention :** prévoir 15 minutes de plus pour confectionner la pâte sablée ♦

INGRÉDIENTS
(pour 12 tartelettes)
100 g de farine pour réaliser
une pâte sablée
comme indiqué page 138

Pour la crème
20 g de Maïzena
27,5 cl de lait
50 g de sucre en poudre
+ 3 ou 4 cuil. à soupe
1 œuf moyen ou 2 jaunes
6 à 7 gouttes d'arôme
d'amandes

Pour la décoration
450 g de fraises coupées en 2
5 cuil. à soupe de gelée de
groseilles
1 1/2 cuil. à soupe d'eau

Voir illustration page 64

Sur la planche farinée, étalez finement la pâte dans laquelle vous découperez 12 abaisses de 10 cm. Foncez vos moules individuels graissés, puis recouvrez la pâte de papier sulfurisé sur lequel vous disposerez une poignée de haricots secs.

Mettez au four chauffé à 190° (6) 10 minutes, le temps que la pâte prenne couleur. Sortez sans démouler, mais retirez papier et haricots. Laissez refroidir avant de disposer sur un plat.

Dans une casserole, travaillez la Maïzena et une pointe de lait. Petit à petit, ajoutez le reste du lait, le sucre et l'œuf que vous pouvez remplacer par 2 jaunes. Amenez à ébullition sans cesser de remuer. Laissez épaissir, puis retirez du feu. Ajoutez l'arôme d'amandes en remuant vigoureusement. Laissez refroidir, puis saupoudrez de 3 à 4 cuillerées à soupe de sucre pour empêcher la formation d'une croûte.

Quand la crème est bien refroidie, battez-la énergiquement avant de la verser dans les fonds de tarte. Par-dessus, disposez alors les fraises.

Dans une casserole, faites chauffer la gelée et l'eau. Amenez à ébullition, puis passez au tamis et ramenez sur le feu. Badigeonnez ensuite les fraises avec ce glaçage. Laissez refroidir.

GÂTEAUX TRADITIONNELS

Voici maintenant quelques recettes familiales qui feront la joie des goûters comme des grandes fêtes traditionnelles telles que Noël ou Pâques. De belles occasions de découvrir la richesse de la pâtisserie britannique.

INGRÉDIENTS
100 g de beurre fondu
275 g de farine avec levure
3 1/2 cuil. à café d'épices
   en poudre (cannelle,
   cardamome, etc.)
1/2 cuil. à café de sel
225 g de sucre roux
75 g de raisins secs
2 gros œufs
17,5 cl de lait
225 g de pommes pelées,
   épépinées et râpées
   2 cuil. à soupe de sucre en
   poudre

INGRÉDIENTS
100 g de beurre ou de
   margarine
100 g de cerises confites,
   coupées en 4
2 bananes bien mûres, écrasées
225 g de farine complète de blé
une pincée de sel
175 g de sucre roux
2 gros œufs

Voir illustration page 80

♦ APPLE & SPICE CAKE ♦

Pour ce gâteau, utilisez de belles pommes bien fermes.

♦ **Préparation** 15 minutes ♦ **Cuisson** 1 h-1 h 15 ♦ **Four** 180° (5) ♦

Dans une terrine, disposez tous les ingrédients sauf le sucre en poudre et mélangez soigneusement. Battez ce mélange durant 2 à 3 minutes et versez dans un moule carré de 20 cm que vous aurez au préalable graissé et recouvert de papier sulfurisé.

   Mettez au four durant 1 h à 1 h 15. Vérifiez la cuisson avec un couteau. La lame doit ressortir propre. Sortez et patientez 15 minutes avant de démouler. Laissez refroidir sur grille. Avant de servir, saupoudrez de sucre en poudre.

♦ BANANA & CHERRY CAKE ♦

*Voici un excellent moyen d'utiliser les bananes
un peu trop mûres.*

♦ **Préparation** 10 minutes ♦ **Cuisson** 1 h 15-1 h 30 ♦ **Four** 170° (5) ♦

Dans une terrine, mélangez énergiquement tous les ingrédients. Battez durant 2 minutes afin d'aérer le mélange et versez-le dans un moule à manqué de 18 cm de diamètre, que vous aurez au préalable graissé et recouvert de papier sulfurisé. Dans le milieu du gâteau, faites une légère entaille car la pâte a tendance à lever.

Mettez au four 1 h 15 à 1 h 30. Vérifiez la cuisson au couteau. La lame doit ressortir propre. Sortez et patientez 15 minutes avant de démouler. Laissez refroidir sur grille.

♦ CHOCOLATE CINNAMON ROLL ♦

Un mélange émoustillant de cannelle et de chocolat.

♦ **Préparation** 25 minutes ♦ **Cuisson** 7-9 minutes ♦ **Four** 230° (7) ♦

Travaillez les œufs et le sucre au bain-marie jusqu'à ce qu'ils fassent le ruban. Incorporez ensuite la farine, la cannelle, le cacao et le sel. Ajoutez l'eau et mélangez soigneusement afin d'obtenir une pâte homogène.

Versez sur la plaque du four (environ 33×23 cm), que vous aurez au préalable graissée et recouverte de papier sulfurisé. Mettez au four chauffé à 230° (7) 7 à 8 minutes. Pendant ce temps, placez sur un torchon humide un papier sulfurisé que vous aurez saupoudré de 2 cuillerées à soupe de sucre en poudre.

Sortez le gâteau du four et retournez-le sur le papier en le débarrassant du premier papier. Pendant qu'il est encore chaud, égalisez les bords du gâteau, puis roulez-le avec le papier recouvert de sucre. Laissez refroidir.

Pendant ce temps, fouettez la crème fraîche jusqu'à lui donner une consistance épaisse. Ajoutez-lui le kirsch peu à peu. Déroulez ensuite le gâteau avec précaution et enduisez-le de crème. Roulez-le à nouveau, mais cette fois sans le papier, et maintenez-le en place durant quelques minutes. Saupoudrez le tout de sucre glace sur lequel vous dessinerez le motif décoratif de votre choix.

INGRÉDIENTS

Pour la pâte
3 œufs
100 g de sucre en poudre
  + 2 cuil. à soupe
75 g de farine
1 cuil. à café de cannelle
25 g de cacao
une bonne pincée de sel
1 cuil. à soupe d'eau chaude

Pour l'appareil
17,5 cl de crème fraîche
1 1/2 cuil. à soupe de kirsch
2 cuil. à soupe de sucre glace

Voir illustration page 80

♦ CHRISTMAS CAKE ♦

L'un des favoris au hit-parade de la gourmandise. Ne pas oublier cependant qu'il est meilleur préparé cinq à six semaines à l'avance.

♦ **Préparation** 1 h ♦ **Cuisson** 3 h ♦ **Four** 170° (5) et 150° (4) ♦
♦ **Attention:** prévoir 4 à 6 jours pour la réalisation du massepain et du glaçage ♦

INGRÉDIENTS
225 g de beurre
225 g de sucre roux
4 œufs
2 cuil. à café de mélasse
10 cl de cherry
1/2 cuil. à café d'arôme
  de vanille

1/2 cuil. à café d'arôme
  d'amandes
100 g de farine
175 g de farine avec levure
une pincée de sel
1 cuil. à café de cannelle
1/2 cuil. à café de muscade
  en poudre
1 cuil. à café d'épices en poudre
(cardamome, par exemple)
350 g de raisins de Malaga
450 g de raisins de Smyrne
450 g de raisins de Corinthe
75 g de cerises confites,
  coupées en 4
100 g d'un mélange d'écorces
  confites
50 g d'amandes en poudre
50 g d'amandes émondées ou
  de noix, hachées

Pour le massepain
175 g de sucre glace
175 g de sucre en poudre
350 g d'amandes en poudre
le jus d'1/2 citron
3 à 4 gouttes d'arôme
  d'amandes
1 à 2 jaunes d'œuf

Pour le glaçage
2 cuil. à soupe de confiture
  d'abricots
2 cuil. à café d'eau

Pour le glaçage royal
2 blancs d'œufs
450 g de sucre glace
1 cuil. à café de jus de citron
1 cuil. à café de glycérine

Voir illustration page 81

Travaillez le beurre et le sucre en pommade. Dans une terrine séparée, travaillez les œufs, la mélasse, le cherry et les arômes de vanille et d'amandes. Dans une autre terrine, mélangez les farines, le sel et les épices.

A l'aide d'une cuillère en bois, mélangez alternativement un peu du mélange œufs battus et du mélange farines au mélange beurre-sucre. Remuez sans battre afin d'obtenir une pâte homogène. Ajoutez enfin les fruits secs, les fruits confits et les amandes ou les noix. Veillez à bien les répartir.

Versez alors dans un moule à manqué de 20 cm chemisé de trois couches de papier sulfurisé graissé sur chaque face. Le papier doit dépasser de 3 cm le bord du moule. Lissez la surface du gâteau avec une spatule. Laissez cuire 30 minutes à 170° (5), puis 2 h 30 à 150° (4). Vérifiez la cuisson du bout du doigt. Si la pâte est souple et revient, le gâteau est bon à sortir. Si la pâte s'enfonce, prolongez la cuisson.

Une fois le gâteau cuit, sortez-le et patientez 10 minutes avant de démouler. Laissez refroidir sur grille. Enveloppez-le ensuite dans de l'aluminium ménager et rangez-le dans une boîte hermétiquement close.

On peut ajouter le massepain dès le gâteau refroidi, mais mieux vaut attendre et effectuer cette opération 2 à 3 jours avant le glaçage.

Pour ce faire, mélangez les sucres et les amandes en poudre. Ajoutez le jus de citron, l'arôme d'amandes et du jaune d'œuf en quantité suffisante pour que la pâte devienne souple et sèche. Sur la planche recouverte de sucre, travaillez le massepain jusqu'à ce qu'il prenne une consistance molle. Donnez-lui 1/2 cm d'épaisseur. Découpez ensuite un disque de la taille du Christmas cake. Réservez-le, mais bordez le pourtour du gâteau avec le massepain restant.

Dans une casserole, faites chauffer la confiture et l'eau. Amenez à ébullition, puis passez au tamis et chauffez à nouveau. Badigeonnez tout le Christmas cake, puis appliquez le disque de massepain réservé sur le dessus du gâteau. Du bout des doigts, faites une soudure avec les bandes de massepain placées sur le pourtour. Laissez sécher 2 à 3 jours dans un endroit chaud et sec.

Le glaçage royal doit, lui, être effectué 2 à 3 jours avant la date où l'on va consommer le Christmas cake.

Dans une terrine, disposez les blancs d'œufs. Ajoutez-leur 2 cuillerées à soupe de sucre glace. Battez doucement. Petit à petit, incorporez le reste du sucre glace sans cesser de remuer. Vous devez obtenir un mélange épais, lisse et très blanc. Versez le jus de citron et remuez à nouveau. Puis, ajoutez la glycérine en mélangeant avec précaution.

Si ce n'est déjà fait, placez maintenant le gâteau sur son support de fête. Lissez-le à l'aide d'une spatule. Si vous désirez lui donner un aspect parfaitement lisse, plongez votre ustensile dans de l'eau bouillante. Si, en revanche, vous préférez un aspect neigeux, façonnez-le au couteau. Disposez les éléments décoratifs qui vous plaisent: lutins, père Noël ou autres. Rangez dans une boîte hermétiquement close.

♦ CHRISTMAS LOG ♦

La bûche de Noël, un must, une tradition, un plaisir...
♦ **Préparation** 25 minutes ♦ **Cuisson** 8-10 minutes ♦ **Four** 220° (7) ♦

Mélangez le cacao, la farine, le sel et la levure.

Travaillez les œufs et le sucre au bain-marie jusqu'à ce qu'ils blanchissent. Retirez du feu. Incorporez au mélange farine-cacao, puis versez le tout sur la plaque du four, graissée et recouverte de papier sulfurisé. Mettez au four chauffé à 220° (7) 8 à 10 minutes. Vérifiez la cuisson: la pâte, pressée, ne doit pas s'enfoncer mollement.

Une fois le gâteau cuit, sortez-le du four et retournez-le sur un papier sulfurisé recouvert de sucre. Débarrassez-vous du premier papier et roulez doucement le gâteau. Maintenez-le ainsi quelques minutes pendant qu'il refroidit. Déroulez-le alors et ôtez le papier au sucre.

Pour préparer l'appareil/glaçage, diluez le cacao dans l'eau chaude, puis laissez refroidir. Pendant ce temps, travaillez le beurre et la moitié du sucre glace jusqu'à obtention d'un mélange mousseux. Ajoutez le lait, le cognac, le cacao dilué et le reste du sucre glace. Battez vigoureusement pour obtenir une préparation homogène.

Étalez un tiers de cet appareil sur l'une des faces du gâteau. Roulez avec précaution et recouvrez cette bûche avec le restant de l'appareil. A l'aide d'une fourchette, éraflez le glaçage de manière à donner au gâteau une apparence de bûche. Saupoudrez le tout d'un peu de sucre glace.

INGRÉDIENTS

Pour la bûche
25 g de cacao
50 g de farine
une pincée de sel
1 cuil. à café de levure chimique
3 œufs
75 g de sucre en poudre

Pour l'appareil/glaçage
2 cuil. à soupe de cacao
  + 1 pour le dessus de la bûche
1 cuil. à soupe d'eau chaude
75 g de beurre
275 g de sucre glace
2 1/2 cuil. à soupe de lait
2 cuil. à café de cognac

INGRÉDIENTS
225 g de beurre
225 g de sucre en poudre
le zeste finement râpé d'une
   grosse orange
225 g de farine
4 œufs
50 g d'amandes en poudre
25 g d'un mélange d'écorces
   confites
100 g de raisins de Corinthe
100 g de raisins de Smyrne
100 g de raisins de Malaga
50 g de cerises confites,
   coupées en 4
40 à 50 moitiés d'amandes

◆ DUNDEE CAKE ◆

Le traditionnel cake venu d'Écosse.

◆ **Préparation** 15 minutes ◆ **Cuisson** 2 h 30-3 h ◆ **Four** 150° (4) ◆

Travaillez le beurre et le sucre en pommade. Ajoutez le zeste d'orange et les œufs un par un. Versez une cuillerée de farine après chaque addition. Remuez énergiquement.

A l'aide d'une cuillère, incorporez les amandes en poudre, les fruits confits et les raisins secs, puis la farine en remuant doucement. Disposez ce mélange dans un moule à manqué de 18 cm de diamètre, graissé et garni de papier sulfurisé, ou dans un moule à cake de 20 cm de long. Semez les moitiés d'amandes sur le dessus de la pâte.

Mettez au four 2 h 30 à 3 h. Vérifiez la cuisson au couteau. La lame doit ressortir propre. Patientez 2 à 3 minutes avant de démouler. Laissez refroidir sur grille.

INGRÉDIENTS
225 g de farine avec levure
1/2 cuil. à café de levure
   chimique
1 1/2 cuil. à soupe d'épices
   en poudre (cannelle,
   par exemple)
1 1/2 cuil. à soupe de muscade
   en poudre
100 g de beurre
   ou de margarine
175 g de sucre roux
2 cuil. à café de sirop de
   glucose
2 œufs moyens
450 g de fruits secs et confits :
   raisins de Corinthe, de
   Smyrne, de Malaga, cédrats
   et cerises confites
2 cuil. à soupe de lait chaud

◆ FAMILY FRUIT CAKE ◆

Une autre variété du cake outre-Channel.

◆ **Préparation** 20 minutes ◆ **Cuisson** 1 h 45-2 h ◆ **Four** 170° (5) ◆

Dans une terrine, mélangez la farine, la levure et les épices. Dans une terrine séparée, travaillez la matière grasse et le sucre en pommade. Ajoutez le sirop de glucose. Mélangez soigneusement. Incorporez ensuite les œufs l'un après l'autre en versant une cuillerée à soupe de farine après chaque addition. Remuez bien afin d'aérer le mélange.

A l'aide d'une cuillère en bois, ajoutez le reste de farine, les fruits secs et confits. Mélangez bien. Versez ensuite le lait chaud et battez le tout jusqu'à obtention d'un mélange homogène.

Remplissez un moule à manqué de 18 cm, graissé et garni de papier sulfurisé. Mettez au four chauffé à 170° (5) 1 h 45 à 2 h. Vérifiez la cuisson au couteau. La lame doit ressortir propre. Sortez et laissez refroidir sur grille.

♦ GINGER CAKE ♦

Un cake exotique...

♦ **Préparation** 10 minutes ♦ **Cuisson** 1 h ♦ **Four** 180° (5) ♦

Dans une casserole, faites fondre à feu doux la matière grasse, le sucre et le sirop de glucose. Le mélange ne doit pas bouillir. Retirez du feu et ajoutez progressivement la farine, le sel et les épices. Remuez vigoureusement avec une cuillère en bois. Ajoutez le gingembre confit coupé en dés. Mélangez bien.

Faites fondre le bicarbonate dans le lait chaud. Versez dans la pâte. Travaillez pour l'incorporer au mieux.

Versez le mélange dans un moule à manqué de 18 cm de diamètre (ou un moule à cake de 20 cm de long), graissé et garni de papier sulfurisé. Mettez au four chauffé à 180° (5) 1 heure. Vérifiez la cuisson au couteau. La lame doit ressortir propre. Sortez et patientez 10 à 15 minutes avant de démouler. Laissez refroidir sur grille.

INGRÉDIENTS
50 g de beurre ou de margarine
50 g de saindoux
50 g de sucre roux
4 cuil. à soupe de sirop
   de glucose
250 g de farine avec levure
une pincée de sel
1 cuil. à soupe de gingembre
   en poudre
2 cuil. à café d'épices en poudre
100 g de gingembre confit,
   coupé en dés
1/2 cuil. à café de bicarbonate
   de soude
15 cl de lait chaud

♦ MADEIRA CAKE ♦

Un cake exquis au goût de citron.

♦ **Préparation** 10 minutes ♦ **Cuisson** 1 h 30 ♦ **Four** 180° (5) ♦

Dans une terrine, mélangez farine et levure. Dans une autre, travaillez la matière grasse, le sucre et le zeste de citron. Ajoutez progressivement les œufs battus en incorporant 1 cuillerée à soupe de farine après chaque addition. Remuez vigoureusement pour aérer le mélange.

A l'aide d'une cuillère en métal, ajoutez le reste de farine et le lait. Mélangez soigneusement et versez le tout dans un moule à manqué de 18 cm de diamètre, graissé et garni de papier sulfurisé. Mettez au four chauffé à 180° (5) 1 heure. Sortez sans éteindre le four et appliquez de fines lamelles de cédrats sur le dessus du cake. Remettez au four 30 minutes. Le gâteau doit gonfler et prendre couleur. Vérifiez la cuisson au couteau. La lame doit ressortir propre. Patientez 5 minutes avant de démouler et de retourner le cake sur grille.

INGRÉDIENTS
225 g de farine
1 cuil. à café de levure
   chimique
175 g de beurre ou de margarine
175 g de sucre en poudre
le zeste finement râpé
   d'1/2 citron
3 œufs moyens, battus
2 cuil. à soupe de lait tiède
2 à 3 cédrats

Voir illustration page 97

INGRÉDIENTS

Pour la pâte

225 g de farine
2 cuil. à café de levure chimique
1/2 cuil. à café de bicarbonate
   de soude
1 cuil. à café d'épices en poudre
   (cannelle, cardamome, etc.)
175 g de sucre en poudre
15 cl de lait tiède
100 g de beurre
le zeste finement râpé
   d'un citron
2 œufs moyens, battus
100 g de mincemeat

Pour le glaçage

50 g de beurre
175 g de sucre glace
1 cuil. à soupe de cognac
quelques noix du Brésil

Voir illustration page 81

♦ MINCEMEAT CAKE ♦

*Pour la préparation du mincemeat, reportez-vous
à la page 134.*

♦ **Préparation** 15 minutes ♦ **Cuisson** 1 h ♦ **Four** 170° (5) ♦

Dans une grande terrine, mélangez la farine, la levure, le bicarbonate et les épices. Ajoutez ensuite le sucre, le lait, le beurre et le zeste de citron. Travaillez jusqu'à obtention d'un mélange homogène. Incorporez peu à peu les œufs en remuant énergiquement. Enfin, versez le mincemeat. Mélangez bien.

Remplissez alors un moule carré de 18 cm, graissé et garni de papier sulfurisé. Mettez au four chauffé à 170° (5) 1 heure. Votre gâteau doit être bien ferme. Patientez 5 minutes avant de démouler, puis retournez-le sur grille.

Travaillez le beurre et le sucre glace jusqu'à obtention d'un mélange lisse et mousseux. Ajoutez le cognac. Versez sur le gâteau et dessinez quelques motifs décoratifs à la pointe du couteau. Disposez enfin quelques noix du Brésil pour agrémenter la présentation.

INGRÉDIENTS

Pour la pâte

100 g de chocolat noir
150 g de beurre ou de margarine
150 g de sucre en poudre
3 œufs moyens
1 cuil. à soupe de lait
225 g de farine avec levure
une pincée de sel

Pour l'appareil

30 g de beurre
100 g de sucre glace + 2 cuil.
   à soupe pour saupoudrer
   le gâteau
2 cuil. à café de lait
1 cuil. à soupe de cacao
1 cuil. à soupe d'eau chaude

♦ MOIST CHOCOLATE CAKE ♦

*Si vous le désirez, remplacez l'appareil au chocolat par un
appareil à la vanille. Pour ce faire, il suffit d'utiliser un quart
de cuillerée à café d'arôme de vanille au lieu du cacao.*

♦ **Préparation** 15 minutes ♦ **Cuisson** 35-40 minutes ♦ **Four** 180° (5) ♦

Faites fondre le chocolat au bain-marie.

Dans une terrine, travaillez la matière grasse et le sucre en pommade. Ajoutez les œufs un par un. Remuez. Versez le lait sur le chocolat fondu et ajoutez le tout au mélange beurre-sucre. Travaillez vigoureusement. Puis, à l'aide d'une cuillère en métal, incorporez farine et sel en mélangeant bien.

Versez la pâte obtenue dans 2 moules à manqué de 18 cm de diamètre, graissés et garnis de papier sulfurisé. Mettez au four chauffé à 180° (5) 35 à 40 minutes. La pâte doit dorer et lever. Patientez 15 minutes avant de démouler sur grille.

Pour réaliser l'appareil, travaillez maintenant le beurre et le sucre glace. Ajoutez les ingrédients restants et mélangez bien.

L'appareil vous servira à assembler les deux gâteaux dès qu'ils seront froids. Vous obtenez un gros gâteau au chocolat. Saupoudrez-le avec le sucre glace réservé.

♦ MRS PETTITGREW'S FAMOUS LEMON CAKE ♦

La spécialité de l'auteur de cet ouvrage. N'hésitez pas à ajouter une pointe de citron pour en accentuer la saveur.

♦ **Préparation** 10 minutes ♦ **Cuisson** 1 h ♦ **Four** 170° (5) ♦

INGRÉDIENTS
3 citrons
3 cuil. à soupe de sucre
  en poudre pour le glaçage
100 g de beurre ou de margarine
175 g de sucre en poudre
2 gros œufs, battus
175 g de farine avec levure
9 cl de lait tiède

Râpez finement le zeste de deux citrons et pressez les trois. Mettez le jus dans une terrine avec les 3 cuillerées à soupe de sucre pour le glaçage. Placez la terrine dans un endroit chaud en attendant de vous en servir à nouveau. Vous devez obtenir un sirop.

Travaillez maintenant le beurre et le sucre en pommade. Ajoutez les œufs par petite quantité, en remuant vigoureusement après chaque addition. Mettez ensuite le zeste de citron et la farine. Mélangez bien, puis versez le lait et travaillez à nouveau pour obtenir une pâte homogène.

Remplissez de ce mélange un moule à manqué de 18 cm de diamètre, graissé et garni de papier sulfurisé. Mettez au four chauffé à 170° (5) 1 heure : le gâteau doit prendre couleur et lever. Sortez-le et, de la pointe du couteau, piquez-en le dessus en trois ou quatre points. Puis, mouillez-le entièrement avec le sirop de citron réservé.

Attendez le refroidissement complet avant de démouler, puis retournez-le et enveloppez-le dans de l'aluminium ménager qui l'aidera à mieux conserver sa fraîcheur.

♦ OLD ENGLISH CIDER CAKE ♦

Un étonnant mélange de parfums.

♦ **Préparation** 10 minutes ♦ **Cuisson** 40-45 minutes ♦ **Four** 190° (6) ♦

INGRÉDIENTS
Pour la pâte
100 g de beurre ou de margarine
100 g de sucre roux
2 œufs moyens
225 g de farine
1 cuil. à café de levure chimique
1 cuil. à café de muscade
  en poudre

Travaillez la matière grasse et le sucre en pommade. Incorporez progressivement les œufs en remuant bien après chaque addition. Puis, à l'aide d'une cuillère en métal, ajoutez la farine, la levure,

1/2 cuil. à café de gingembre
   en poudre
15 cl de cidre brut

Pour le glaçage
100 g de fromage frais, genre
   Petit Gervais
100 g de sucre glace
1 cuil. à café de gingembre
   en poudre
25 g de gingembre confit,
   coupé en petits dés

la muscade et le gingembre. Mélangez soigneusement. Versez ensuite le cidre en délayant bien.

Remplissez de ce mélange un moule à cake de 30 cm de long, graissé et garni de papier sulfurisé. Mettez au four chauffé à 190° (6) 40 à 45 minutes, le temps de prendre couleur. Votre gâteau doit être ferme. Démoulez et laissez refroidir sur grille.

Pour le glaçage, mélangez tous les ingrédients jusqu'à obtention d'une bouillie homogène. Badigeonnez-en le dessus du gâteau sur lequel vous tracerez des motifs décoratifs avec le dos d'une fourchette.

INGRÉDIENTS
100 g de farine pour réaliser
   une pâte brisée comme
   indiqué page 139

Pour la garniture
1 à 2 cuil. à soupe de lait
   225 g de mincemeat

Voir illustration page 81

♦ OPEN MINCEMEAT TART ♦

Cette tarte fait partie des traditionnelles pâtisseries de Noël, mais on la déguste avec plaisir tout au long de l'année. Pour la recette du mincemeat, reportez-vous à la page 134.

♦ **Préparation** 25 minutes ♦ **Cuisson** 25-30 minutes ♦ **Four** 230° (7) et 200° (6) ♦
♦ **Attention :** prévoir 30 minutes de plus pour confectionner la pâte brisée ♦

Étalez finement la pâte. Découpez une abaisse de la taille d'un moule à tarte de 20 cm, préalablement graissé. Foncez le moule en veillant à ne pas faire un tour trop mince. Si vous avez besoin d'effectuer une « soudure » de pâte, badigeonnez avec une pointe de lait. Cette précaution vous évitera bien des déboires avec la garniture de mincemeat.

Remplissez votre fond de tarte avec le mincemeat. Puis, avec le restant de pâte, préparez des bandes de 1×15-18 cm que vous badigeonnerez de lait si nécessaire. Quadrillez le dessus de la tarte.

Mettez 15 minutes au four à 230° (7) puis ramenez la chaleur à 200° (6) et patientez 10 à 15 minutes, le temps que la tarte prenne couleur.

♦ POUND CAKE ♦

Avec un soupçon de cognac ou de cherry.

♦ **Préparation** 30 minutes ♦ **Cuisson** 2 h-2 h 30 ♦ **Four** 170° (5) ♦

Dans une terrine, mélangez farine et levure. Dans une autre, travaillez le beurre et le sucre en pommade. Ajoutez ensuite les œufs, un par un, en mélangeant vigoureusement et en incorporant une cuillerée à soupe de farine après chaque addition. Ajoutez le zeste. Mélangez bien.

A l'aide d'une cuillère en métal, versez maintenant le reste de farine, les écorces confites, les raisins et les amandes. Travaillez pour obtenir une pâte homogène. Ajoutez enfin le cognac ou le cherry.

Remplissez un moule à manqué de 23 cm, graissé et garni de papier sulfurisé. Mettez au four chauffé à 170° (5) 2 h à 2 h 30. Vérifiez la cuisson au couteau. La lame doit ressortir propre. Démoulez et laissez refroidir sur grille.

INGRÉDIENTS
450 g de farine
2 cuil. à café de levure chimique
225 g de beurre
225 g de sucre en poudre
4 œufs moyens
le zeste finement râpé
  d'un citron
50 g d'un mélange d'écorces
  confites
225 g de raisins de Corinthe
50 g d'amandes émondées,
  hachées menu
5 cl de cognac ou de cherry

♦ SEED CAKE ♦

Un Madeira cake aux graines de carvi.

♦ **Préparation** 10 minutes ♦ **Cuisson** 1 h-1 h 15 ♦ **Four** 180° (5) ♦

Travaillez la matière grasse et le sucre en pommade. Sur un bain-marie non bouillant, battez les œufs jusqu'à ce qu'ils blanchissent. Incorporez-les ensuite au mélange matière grasse-sucre.

Vous aurez mélangé à part tous les autres ingrédients que vous ajouterez alors au reste. Versez le lait. Remuez vigoureusement avec une cuillère en bois.

Remplissez un moule à manqué de 18 cm de diamètre, graissé et garni de papier sulfurisé. Mettez au four chauffé à 180° (5) 1 h à 1 h 15, le temps que le mélange prenne couleur. Patientez 15 minutes avant de démouler sur grille. Laissez refroidir.

INGRÉDIENTS
175 g de beurre ou de margarine
175 g de sucre en poudre
3 œufs moyens
225 g de farine
2 cuil. à café de levure chimique
une pincée de sel
une pincée de bicarbonate
  de soude
25 g de graines de carvi
1/2 cuil. à café de cannelle
1 cuil. à soupe de lait tiède.

INGRÉDIENTS

225 g de massepain acheté
  dans le commerce ou réalisé
  comme indiqué page 72
225 g de farine
1 cuil. à café de levure chimique
une pincée de sel
une cuil. à café d'épices
  en poudre (cannelle par
  exemple)
une bonne pincée de macis
  en poudre
175 g de beurre
175 g de sucre roux
3 œufs moyens
2 cuil. à soupe de lait
100 g de raisins de Smyrne
175 g de raisins de Corinthe
50 g de raisins de Malaga
50 g d'un mélange d'écorces
  confites
50 g de cerises confites,
  coupées en 4
1 blanc d'œuf pour le glaçage
un ruban jaune

Voir illustration page 80

♦ SIMNEL CAKE ♦

*Jadis, les jeunes filles placées se voyaient octroyer un congé
pour le dimanche de la mi-Carême. Leurs employeurs
leur remettaient alors un Simnel cake qu'elles devaient offrir à
leur mère. Les onze boules de massepain qui ornent ce gâteau
symbolisent les fidèles apôtres. Judas en est donc banni.*

♦ **Préparation** 40 minutes ♦ **Cuisson** 1 h 30 ♦ **Four** 180° (5) et 150° (4) ♦

Dans une terrine, mélangez la farine, la levure, le sel, les épices
et le macis. Dans une autre, travaillez le beurre et le sucre en
pommade. Ajoutez les œufs un à un en incorporant une cuillerée
à soupe de farine après chaque addition. Mélangez bien.

A l'aide d'une cuillère en métal, jetez petit à petit le reste de
farine en alternant avec le lait. Ajoutez les fruits secs et confits.
Versez maintenant la moitié de la pâte dans un moule à manqué
de 15 cm de diamètre, graissé et garni de papier sulfurisé. Lissez.
Recouvrez d'un disque de massepain que vous aurez préparé à
l'avance avec un tiers du massepain. Ajoutez le reste de pâte.

Mettez au four 30 minutes à 180° (5), puis ramenez la chaleur
à 150° (4) et patientez 1 heure. Vérifiez la cuisson au couteau. La
lame doit ressortir propre. Attendez 10 minutes avant de
démouler. Laissez refroidir sur grille.

Divisez en deux le massepain restant. Utilisez la première
moitié pour façonner onze boulettes, et la seconde pour former
un disque dont vous recouvrirez le dessus du gâteau déjà badi-
geonné de blanc d'œuf. Trempez la base de chaque boulette dans
le blanc d'œuf pour mieux les fixer tout autour du Simnel cake.

Enfin, enroulez un ruban jaune autour du gâteau.

Gâteaux traditionnels (Dans le sens des aiguilles d'une montre et en partant de la gauche) Simnel cake (voir ci-
dessus); Chocolate cinnamon roll (voir p. 71); Banana and cherry cake (voir p. 70).

♦ SPÉCIAL CHOCOLATE CAKE ♦

Une merveille. Que dire de plus?

♦ **Préparation** 10 minutes ♦ **Cuisson** 40-45 minutes ♦ **Four** 170° (5) ♦

Dans une terrine, mélangez la farine, la levure, le cacao, le bicarbonate et le sucre. Dans une autre, travaillez la mélasse, les œufs, l'huile et le lait. Versez sur la farine et mélangez soigneusement.

Versez la pâte dans deux moules à manqué de 18 cm de diamètre, graissés et garnis de papier sulfurisé. Mettez au four chauffé à 170° (5) 40 à 45 minutes. Vérifiez la cuisson du bout du doigt. La pâte doit présenter une certaine élasticité. Patientez 2 à 3 minutes avant de démouler. Laissez refroidir sur grille.

Pour l'appareil, travaillez le beurre et le sucre glace en pommade. Ajoutez le cacao et l'eau chaude. Mélangez bien. Étalez sur l'un des deux gâteaux sur lequel vous poserez le second. Saupoudrez de sucre en poudre.

INGRÉDIENTS

Pour la pâte
175 g de farine
1 cuil. à café de levure chimique
2 cuil. à soupe de cacao
1 cuil. à café de bicarbonate de soude
150 g de sucre en poudre + 2 ou 3 cuil. à soupe pour saupoudrer
2 cuil. à soupe de mélasse
2 œufs moyens
15 cl d'huile végétale
15 cl de lait chaud

Pour l'appareil
50 g de beurre
175 g de sucre glace
25 g de cacao
2 cuil. à soupe d'eau chaude

Voir illustration page 65

♦ SWISS ROLL ♦

Un gâteau à garnir selon les goûts.

♦ **Préparation** 15 minutes ♦ **Cuisson** 7-10 minutes ♦ **Four** 200° (6) ♦

Travaillez les œufs et le sucre au bain-marie jusqu'à ce qu'ils fassent le ruban. Ajoutez ensuite la farine et l'eau chaude. Versez la préparation sur la plaque du four graissée et recouverte de papier sulfurisé, en essayant de former un rectangle de 28×18 cm.

Mettez 8 à 10 minutes au four chauffé à 200° (6), le temps de prendre couleur. Sortez et posez le gâteau sur une feuille de papier sulfurisé saupoudrée de sucre en poudre, que vous aurez placée sur un torchon humide. Ôtez le premier papier sulfurisé.

Égalisez maintenant les bords de votre gâteau que vous enduirez d'une bonne couche de confiture sur 26×16 cm. Roulez le gâteau et laissez refroidir sur grille. Avant de servir, saupoudrez-le de sucre en poudre.

INGRÉDIENTS

3 œufs moyens
100 g de sucre en poudre + quelques cuil. à soupe pour saupoudrer
75 g de farine
1 cuil. à soupe d'eau chaude
3 cuil. à soupe de confiture de framboises

Recettes de Noël (Dans le sens des aiguilles d'une montre et en partant du haut) Mincemeat cake (voir p. 76); Open mincemeat tart (voir p. 78); Christmas cake (voir p. 71); Brandy snaps (voir p. 60).

INGRÉDIENTS

100 g de beurre ou de margarine
100 g de sucre en poudre
2 œufs moyens, battus
100 g de farine avec levure
1 cuil. à soupe d'eau bouillante
50 à 75 g de confiture
   de framboises

Voir illustration page 129

♦ VICTORIA SPONGE ♦

Un gâteau à l'allure royale...

♦ **Préparation** 10 minutes ♦ **Cuisson** 20-25 minutes ♦ **Four** 180° (5) ♦

Travaillez la matière grasse et le sucre en pommade. Ajoutez les œufs par petite quantité en incorporant une cuillerée à soupe de farine après chaque addition. Remuez soigneusement. Puis, ajoutez le reste de farine que vous travaillerez à la cuillère en métal. Versez enfin l'eau bouillante. Mélangez bien.

Versez la préparation dans deux moules à manqué de 18 cm de diamètre, graissés et garnis de papier sulfurisé. Mettez au four chauffé à 180° (5) 20 à 25 minutes, le temps de prendre couleur. La pâte doit présenter une certaine élasticité.

Laissez refroidir sur grille. Enduisez alors de confiture le dessus de l'un des gâteaux sur lequel vous placerez le second. Saupoudrez de sucre en poudre.

INGRÉDIENTS

(pour 9 gâteaux)
175 g de beurre
350 g de farine
100 g de sucre roux
15 g de cannelle
1 cuil. à café de muscade
   en poudre
100 g de raisins secs
100 g de raisins de Corinthe
100 g d'un mélange d'écorces
   confites
50 g d'amandes effilées
3 œufs moyens
5 cl de cognac
2 cuil. à soupe environ
   de crème fleurette

♦ WHITBY YULE CAKE ♦

Un classique que l'on offre à ses invités, accompagné d'un verre de cognac, entre Noël et le jour de l'An.

♦ **Préparation** 15 minutes ♦ **Cuisson** 2 h 30-3 h ♦ **Four** 170° (5) ♦

Dans une terrine, travaillez le beurre et la farine jusqu'à obtention d'une pâte friable. Ajoutez-y le sucre, la cannelle, la muscade, les raisins, les écorces confites et les amandes.

Dans une autre terrine, battez les œufs avec le cognac, puis ajoutez le tout au premier mélange. Fouettez à la fourchette. Incorporez suffisamment de crème fleurette pour obtenir une pâte souple. Versez alors dans un moule carré de 20 cm, graissé et garni de papier sulfurisé. Sur la pâte, tracez au couteau 9 portions. Enfoncez la lame à mi-pâte.

Mettez au four chauffé à 170° (5) 2 h 30 à 3 h. Démoulez et laissez refroidir sur grille. Découpez alors les portions.

GÂTEAUX DE FÊTE

Les gâteaux de fête agrémentent toujours les grandes occasions ou les réceptions prestigieuses. Sur la table du goûter, ils feront la joie de vos hôtes, touchés par cette marque d'attention.

♦ ALMOND CHERRY CAKE ♦

Un cake irrésistible.

♦ **Préparation** 25 minutes ♦ **Cuisson** 50-55 minutes ♦ **Four** 180° (5) ♦

Travaillez le beurre et le sucre en pommade. Ajoutez les œufs, un à un, en incorporant à mesure un peu d'amandes en poudre tout en mélangeant vigoureusement après chaque addition. Ajoutez ensuite la farine, les cerises confites et l'arôme d'amandes. Remuez à la cuillère.

Versez le tout dans un moule à manqué de 18 cm de diamètre, graissé et garni de papier sulfurisé. Mettez au four chauffé à 180° (5) 50 à 55 minutes. Vérifiez la cuisson au couteau. La lame doit ressortir propre. Patientez 15 minutes avant de démouler sur grille.

INGRÉDIENTS

Pour le gâteau
100 g de beurre
150 g de sucre en poudre
3 gros œufs
90 g d'amandes en poudre
40 g de farine avec levure
175 g de cerises confites
1 cuil. à café d'arôme d'amandes

Pour le glaçage
50 g de beurre
100 g de sucre glace
1 cuil. à café de liqueur
   d'Amaretto
8 moitiés de cerises confites
16 moitiés d'amandes émondées

Pour le glaçage, mélangez tous les ingrédients pour obtenir une préparation homogène et mousseuse dont vous enduirez le cake. Dessinez des motifs décoratifs avec le dos d'une fourchette. Placez enfin cerises confites et amandes sur le dessus du gâteau.

INGRÉDIENTS
100 g de beurre ou de margarine
150 g de sucre en poudre
6 œufs moyens, dont vous réserverez les blancs
1/4 cuil. à café d'arôme de vanille
3 à 4 cuil. à soupe de semoule fine
500 g de fromage blanc égoutté
le jus d'1/2 citron
1/4 de cuil. à café de levure chimique
225 g de raisins secs

Voir illustration page 112

♦ BAKED CHEESECAKE ♦

Les Britanniques en sont fous depuis plus de sept siècles!
♦ **Préparation** 25 minutes ♦ **Cuisson** 1 h 30-1 h 45 ♦ **Four** 180° (5) ♦

Travaillez la matière grasse, le sucre et les jaunes d'œufs jusqu'à obtention d'un mélange mousseux. Ajoutez l'arôme de vanille. Travaillez à nouveau. Versez peu à peu la semoule et le fromage blanc, en fouettant après chaque addition. Si le mélange vous paraît un peu trop liquide, ajoutez un peu plus de semoule.

Versez le jus de citron, la levure et les raisins. Mélangez bien. Ajoutez alors les blancs battus en neige très ferme, en veillant à ne pas les casser.

Versez le tout dans un moule à manqué de 20 cm, graissé et garni de papier sulfurisé. Mettez au four chauffé à 180° (5) 1 h 15, sans ouvrir la porte. Quand le gâteau est doré, éteignez le four et laissez le gâteau 15 à 30 minutes supplémentaires à l'intérieur où il finira sa cuisson.

Laissez refroidir sans démouler. Saupoudrez de sucre avant de servir.

INGRÉDIENTS

Pour la pâte
175 g de farine avec levure
une pincée de sel
1 cuil. à café de levure chimique
150 g de beurre
150 g de sucre en poudre
3 œufs moyens
5 cuil. à café de café soluble
1 cuil. à soupe d'eau bouillante
75 g de noix, hachées

Pour l'appareil et le glaçage
350 g environ de sucre glace

♦ COFFEE & WALNUT CAKE ♦

Délicieux mélange de café et de noix.
♦ **Préparation** 20 minutes ♦ **Cuisson** 35-40 minutes ♦ **Four** 180° (5) ♦

Dans une terrine, mélangez la farine, le sel et la levure chimique. Dans une autre, travaillez le beurre et le sucre en pommade. Ajoutez les œufs, un par un, en versant 1 cuillerée à soupe de farine après chaque addition. Remuez vigoureusement.

Incorporez le reste de farine. Battez à nouveau. Dissolvez le café dans l'eau bouillante et versez-le dans le mélange. Ajoutez aussi les noix. Remuez bien.

Versez la préparation dans deux moules à manqué de 18 cm de diamètre, graissés et garnis de papier sulfurisé. Mettez au four chauffé à 180° (5) 35 à 40 minutes. Votre pâte doit être ferme. Démoulez et laissez refroidir sur grille.

Pour l'appareil et le glaçage, travaillez le sucre glace, le beurre, le café dissous dans l'eau. Ajoutez un peu plus de sucre glace si le mélange vous semble trop liquide. Il doit être assez épais. Tartinez alors le dessus d'un gâteau sur lequel vous poserez le second. Recouvrez l'ensemble. Dessinez enfin des motifs décoratifs à la pointe du couteau et décorez avec les cerneaux de noix.

225 g de beurre
4 cuil. à café de café soluble
1 cuil. à café d'eau
9 à 10 cerneaux de noix

Voir illustration page 112

♦ ORANGE CHOCOLATE CAKE ♦

Succulente combinaison d'orange et de chocolat.
♦ **Préparation** 20 minutes ♦ **Cuisson** 40-45 minutes ♦ **Four** 180° (5) ♦

Dans un petit bol, dissolvez le cacao dans l'eau. Dans une terrine, travaillez la matière grasse et le sucre en pommade. Ajoutez les œufs, l'un après l'autre, en fouettant bien après chaque addition. Versez alors le cacao dilué. Mélangez bien. Incorporez ensuite la farine, puis le zeste et le jus d'orange. Travaillez jusqu'à obtention d'un mélange homogène.

Versez le tout dans un moule à manqué de 18 cm de diamètre, graissé et garni de papier sulfurisé. Mettez au four chauffé à 180° (5) 40 à 45 minutes. Votre pâte doit être ferme. Patientez 10 à 15 minutes avant de démouler sur grille.

Pour l'appareil, travaillez le beurre et le sucre glace en pommade. Ajoutez peu à peu le zeste et le jus d'orange. Fouettez jusqu'à obtention d'une préparation lisse et mousseuse.

Dès que le gâteau est bien refroidi, coupez-le en deux dans le sens horizontal et utilisez la moitié de l'appareil pour tartiner l'intérieur du gâteau. Reconstituez-le, puis utilisez le reste d'appareil pour le glaçage. A l'aide d'un couteau, dessinez les motifs décoratifs de votre choix. Décorez avec les quartiers d'orange.

INGRÉDIENTS

Pour la pâte
2 cuil. à soupe de cacao
2 cuil. à soupe d'eau chaude
100 g de beurre ou
  de margarine
150 g de sucre en poudre
2 gros œufs
100 g de farine avec levure
le zeste finement râpé d'une
  grosse orange
2 cuil. à soupe de jus d'orange
  frais

Pour l'appareil et le glaçage
225 g de beurre
225 g de sucre glace
le zeste finement râpé et le jus
  d'1/2 orange
10 à 12 quartiers d'orange,
  pelés et épépinés

INGRÉDIENTS

Pour la pâte

3 œufs moyens, dont vous
  réserverez les blancs
75 g de sucre en poudre
le zeste finement râpé
  d'1/2 citron
50 g de farine
15 g d'amandes en poudre

Pour l'appareil et le glaçage

450 g de framboises fraîches
  ou congelées
2 cuil. à soupe de sucre
  en poudre
27,5 cl de crème fraîche

◆ RASPBERRY GÂTEAU ◆

Ah! Les framboises...

◆ **Préparation** 30 minutes ◆ **Cuisson** 35-40 minutes ◆ **Four** 180° (5) ◆

Travaillez les jaunes d'œufs et le sucre en pommade. Ajoutez le zeste de citron et continuez à fouetter jusqu'à ce que le mélange fasse le ruban.

Incorporez ensuite la farine et les amandes en poudre. Dans une autre terrine, battez les blancs en neige très ferme, puis ajoutez-les à la préparation.

Versez le tout dans un moule à manqué de 23 cm, graissé et garni de papier sulfurisé. Mettez au four chauffé à 180° (5) 35 à 40 minutes, le temps pour la pâte de lever et de prendre couleur. Démoulez sur grille.

Dès le gâteau refroidi, coupez-le en deux dans le sens horizontal. Réservez 16 à 18 jolies framboises pour la décoration et disposez les autres sur le dessus de l'une des moitiés du gâteau. Saupoudrez avec la moitié du sucre en poudre. Recouvrez avec la seconde moitié du gâteau.

Juste avant de servir, fouettez la crème fraîche pour lui donner une consistance ferme. Étalez sur le gâteau. Disposez les framboises réservées et saupoudrez avec le sucre restant.

INGRÉDIENTS

Pour la pâte

2 œufs moyens
175 g de sucre semoule
15 cl d'huile de maïs
50 g de noix, hachées menu
100 g de farine
225 g de carottes râpées
1 cuil. à café de cannelle
1 cuil. à café de bicarbonate
  de soude

Pour le glaçage

175 g de sucre glace
50 g de beurre
75 g de fromage frais, genre
  Petit Gervais
1/2 cuil. à café d'arôme
  de vanille

◆ RICH CARROT CAKE ◆

Un dessert original.

◆ **Préparation** 15 minutes ◆ **Cuisson** 45-50 minutes ◆ **Four** 190° (6) ◆

Fouettez les œufs et le sucre jusqu'à ce qu'ils blanchissent. Ajoutez l'huile petit à petit. Remuez, puis incorporez le reste des ingrédients. Battez bien afin d'obtenir un mélange homogène.

Versez dans un moule à manqué de 18 cm de diamètre, graissé à l'huile de maïs et garni de papier sulfurisé. Mettez au four chauffé à 190° (6) 45 à 50 minutes. Vérifiez la cuisson au couteau. La lame doit ressortir propre. Patientez 10 à 15 minutes avant de démouler sur grille.

Pour le glaçage, mélangez tous les ingrédients jusqu'à obtention d'une préparation lisse et mousseuse. Enduisez le gâteau et dessinez les motifs décoratifs de votre choix avec la pointe d'une fourchette.

♦ STRAWBERRY SHORTCAKE ♦

Un sablé à la fraise, qui fait un délicieux dessert pour l'été.

♦ **Préparation** 20 minutes ♦ **Cuisson** 20-25 minutes ♦ **Four** 190° (6) ♦

Dans une terrine, mélangez la farine, la levure et le sel. Ajoutez le beurre et travaillez jusqu'à obtention d'une pâte friable. Ajoutez alors 100 g de sucre en poudre. Incorporez l'œuf. Mélangez bien. Puis, ajoutez suffisamment de lait pour assouplir la pâte. Pétrissez.

Versez dans deux moules à manqué de 20 cm de diamètre, graissés et garnis de papier sulfurisé. Lissez la surface de la pâte. Mettez au four chauffé à 190° (6) 20 à 25 minutes, le temps que la pâte prenne couleur. Démoulez sur grille.

Réservez 5 à 6 fraises pour la décoration. Coupez les autres en petits morceaux et saupoudrez avec le sucre restant.

Fouettez la crème fraîche jusqu'à lui donner une consistance ferme. Enduisez le dessus d'un gâteau avec un quart de crème. Disposez les fraises par dessus. Recouvrez de crème, puis appliquez le second gâteau sur le tout. Badigeonnez-le avec le restant de crème. Décorez avec les fraises réservées, coupées en deux.

INGRÉDIENTS
Pour la pâte
225 g de farine avec levure
1/2 cuil. à café de levure
    chimique
une bonne pincée de sel
75 g de beurre
150 g de sucre en poudre
1 œuf moyen
3 à 4 cuil. à soupe de lait

Pour l'appareil et le glaçage
225 g de fraises
27,5 cl de crème fraîche

Voir illustration page 112

♦ WALNUT & LEMON MERINGUE CAKE ♦

Ce délicieux gâteau est extrêmemement léger. Pour la recette du lemon curd, reportez-vous à la page 133.

♦ **Préparation** 25 minutes ♦ **Cuisson** 35-40 minutes ♦ **Four** 190° (6) ♦

Battez les blancs d'œufs en neige ferme. Ajoutez la moitié du sucre sans cesser de fouetter. Puis, incorporez le reste du sucre et fouettez encore jusqu'à obtention de blancs extrêmement fermes.

Hachez grossièrement 100 g de noix et mélangez-les aux blancs en utilisant une cuillère en métal. Versez alors le tout dans deux moules à manqué de 18 cm de diamètre, graissés, garnis de papier sulfurisé et huilés sur les côtés. Lissez le dessus de la meringue à la spatule. Mettez au four chauffé à 190° (6) 35 à

INGRÉDIENTS
Pour la pâte
4 blancs d'œufs
250 g de sucre en poudre
150 g de noix, hachées

Pour l'appareil et le glaçage
27,5 cl de crème fraîche
    épaisse
5 cuil. à soupe de lemon curd

40 minutes. La meringue doit être ferme et dorée. Démoulez sur grille et ôtez le papier.

Fouettez alors la crème fraîche dont vous verserez la moitié dans le lemon curd. Cette préparation vous servira à assembler les deux gâteaux. Étalez le reste de crème sur le dessus de la meringue et dessinez à la pointe du couteau le motif décoratif de votre choix. Saupoudrez avec les noix restantes.

INGRÉDIENTS

225 de raisins secs
le zeste finement râpé
   d'1/2 citron
10 cl de whisky
175 g de farine
1 cuil. à soupe de levure
   chimique
175 g de beurre
175 g de sucre en poudre
4 œufs moyens, dont vous
   réserverez les blancs
75 g d'un mélange d'écorces
   confites

Voir illustration page 112

♦ WHISKY RAISIN CAKE ♦

Un vrai gâteau de fête!

♦ **Préparation** 20 minutes ♦ **Cuisson** 1 h ♦ **Four** 180° (5) ♦
♦ **Attention :** prévoir 12 h ou une nuit pour que les fruits macèrent dans le whisky ♦

Faites macérer les raisins secs et le zeste de citron dans le whisky pendant 12 h ou, si possible, une nuit.

Dans une terrine, mélangez la farine et la levure. Dans une autre, travaillez le beurre et le sucre en pommade. Ajoutez les jaunes d'œufs, un à un, en incorporant 1 cuillerée à soupe de farine après chaque addition. Remuez vigoureusement.

Ajoutez ensuite le zeste de citron, les raisins secs et le whisky et une autre cuillerée à soupe de farine, puis les écorces confites et le reste de farine.

Battez les blancs en neige ferme, puis incorporez-les avec précaution au mélange.

Versez le tout dans un moule à manqué de 23 cm de diamètre, et mettez au four chauffé à 180 (5) 1 heure. Vérifiez la cuisson au couteau. La lame doit ressortir propre. Patientez 10 minutes avant de démouler sur grille.

GOÛTERS-DÎNERS

En Grande-Bretagne, il existe deux sortes de thé : le thé de l'après-midi (afternoon tea), qu'il faut opposer à un repas plus complet, sorte de dîner-goûter (high tea). Le premier remonte au XVIIIᵉ siècle, époque à laquelle les membres des classes aisées se réunissaient et, à cette occasion, prenaient une collation qu'ils appelaient "low tea". Le second prit naissance avec la révolution industrielle du XIXᵉ siècle. Lorsque, en fin d'après-midi, les membres de la famille rentraient du travail, ils préparaient un repas qu'ils mangeaient vers 18 heures. Au menu figuraient petits pâtés, en-cas tels que le traditionnel Welsh rarebit, viandes froides, salades, ainsi que pains et beurre « maison », crumpets, muffins et gâteaux variés. Ce repas ne remplaçait que partiellement le dîner car, plus tard dans la soirée, on prenait une autre petite collation.

Note : *Toutes les recettes de ce chapitre ont été établies pour 4 personnes.*

♦ ANGELS ON HORSEBACK ♦

Vous pourrez, au choix, confectionner 4 grands ou 12 petits Angels on horseback, que vous décorerez de brins de persil.

♦ **Préparation et cuisson** 20 minutes ♦

Versez sur chaque huître quelques gouttes de jus de citron, un peu de poivre de Cayenne et de poivre gris. Entourez-la d'une tranche de bacon que vous maintiendrez avec une pique en bois.

Si vous avez opté pour les mini-portions, coupez chaque tranche de pain en quatre, pour obtenir 16 petits canapés, dont vous ôterez la croûte. Faites frire ce pain dans un peu de beurre ou d'huile, ou faites-le simplement griller.

INGRÉDIENTS
12 huîtres
le jus de 2 ou 3 citrons
poivre de Cayenne
poivre gris, fraîchement moulu
12 minces tranches de bacon,
    sans la couenne
4 tranches de pain de mie
    complet
piques en bois

Placez les huîtres au grill très chaud et laissez-les cuire juste assez longtemps pour que le bacon soit croquant. Tournez-les aussi souvent que nécessaire, de façon à ce que tous les côtés soient grillés. Attention : une trop longue cuisson rendra les huîtres dures sous la dent !

Placez ensuite les huîtres sur le pain frit ou grillé, à raison de trois par tranche entière, ou de une par quart de tranche. Servez sans attendre.

INGRÉDIENTS
4 œufs
4 cuil. à soupe de crème fraîche épaisse
3/4 cuil. à café d'essence d'anchois
24 câpres (12 hachées et 12 entières)
sel
poivre gris, fraîchement moulu
1 bonne pincée de poivre de Cayenne
25 g de beurre
4 tranches de pain
4 filets d'anchois, coupés en lanières

♦ BOMBAY TOASTS ♦

*Cette vieille recette coloniale saura donner du piquant
à des œufs brouillés.*

♦ **Préparation et cuisson** 20 minutes ♦

Dans un bol, battez les œufs en omelette. Ajoutez la crème fraîche, l'essence d'anchois et les câpres hachées. Mélangez bien. Assaisonnez.

Faites chauffer le beurre dans une casserole à revêtement anti-adhésif et ajoutez l'œuf. Faites cuire à feu doux, sans cesser de remuer.

Grillez et beurrez le pain que vous disposerez dans les assiettes.

Sur chaque toast, placez un petite portion d'œufs brouillés et décorez de lanières d'anchois entrecroisées. Finissez de décorer avec les câpres et servez sans attendre.

INGRÉDIENTS
75 g de beurre
225 g de bacon en tranches, sans la couenne
60 à 80 cl d'eau
1 cuil. à café de sel
500 g de poireaux, coupés en morceaux de 2,5 cm
50 g de farine
1/2 l de lait, environ
100 g de cheddar bien fait, râpé
1 pincée de noix muscade, râpée
sel et poivre

♦ POIREAUX AU FROMAGE ET AU BACON ♦

*Cette délicieuse préparation se sert sur des toasts,
ou accompagnée de petites boules de pain complet encore
chaudes. Pour la décoration, utilisez du persil haché.*

♦ **Préparation et cuisson** 20 minutes ♦

Chauffez le four à 80° (2) et placez-y le plat de service.

Dans une poêle, faites fondre 25 g de beurre, pour frire le bacon qui doit devenir brun. Retirez-le alors du feu, essuyez-le avec du papier absorbant et coupez-le en petits morceaux.

Mettez les poireaux dans une casserole d'eau bouillante additionnée d'une cuillerée à café de sel. Leur cuisson durera 5 à 8 minutes, selon les goûts. Égouttez-les, passez-les à l'eau froide et essuyez-les avec du papier absorbant.

Dans une casserole, faites fondre le reste du beurre. Lorsqu'il commence à grésiller, ajoutez la farine, remuez bien et faites cuire 2 à 3 minutes, à feu doux. Retirez du feu et ajoutez le lait petit à petit, en remuant pour éviter les grumeaux. Lorsque tout le lait est incorporé, remettez la casserole sur le feu et portez à ébullition, sans cesser de remuer. Après 1 ou 2 minutes, baissez le feu et ajoutez le fromage. Remuez bien et faites cuire 1 à 2 minutes de plus. Saupoudrez de noix muscade et assaisonnez.

Ajoutez ensuite le bacon et les poireaux. Remuez bien et laissez chauffer jusqu'à ce que des bulles commencent à se former. Versez alors dans le plat chaud, et servez immédiatement.

♦ SARDINES A LA DIABLE ♦

Ces petites sardines marinées peuvent aussi constituer une entrée originale, à l'occasion d'un dîner. Décorez-les de brins de persil ou de rondelles de tomates.

♦ **Préparation et cuisson** 1 h pour la marinade + 15 minutes ♦

INGRÉDIENTS
2 boîtes de 120 g de sardines
  à l'huile
2 échalotes, finement hachées
4 cuil. à café de jus de citron
1 pincée de poivre de Cayenne
sel et poivre
2 à 3 cuil. à soupe de farine
4 tranches de pain
30 g de beurre

Enlevez la peau des sardines. Coupez-les en deux et retirez l'arête. Remettez l'une sur l'autre les deux moitiés que vous déposerez dans un récipient peu profond.

Mélangez échalotes hachées, jus de citron, poivre gris, poivre de Cayenne et sel. Arrosez les sardines que vous laisserez mariner 1 heure, sans oublier de les retourner une fois. Puis, égouttez-les, essuyez-les avec du papier absorbant, et roulez-les rapidement dans la farine. Dans une poêle, faites-les frire doucement dans de l'huile ou du beurre, jusqu'à ce qu'elles soient dorées.

Pendant ce temps, faites griller le pain, puis beurrez-le. Répartissez les sardines en 4 portions que vous disposerez sur les 4 toasts. Servez immédiatement.

♦ ŒUFS AU THON ♦

Excellents sur des toasts ou avec du pain frais. Décorez de rondelles de tomate et de persil haché.

♦ **Préparation et cuisson** 25 minutes ♦

INGRÉDIENTS
50 g de beurre
50 g de petits champignons,
  en lamelles
1 boîte de 200 g de soupe aux
  champignons

10 cl de lait
25 g de farine
4 œufs durs, coupés en 4
1 boîte de 200 g de thon
    à l'huile, égoutté
    et en morceaux

Voir illustration page 96

Faites fondre 25 g de beurre dans une petite casserole et faites cuire les champignons à feu doux, pendant 5 à 10 minutes, jusqu'à ce qu'ils soient tendres. Puis, à l'aide d'une écumoire, retirez-les du feu.

Dans une terrine, mélangez la soupe avec le lait. Dans une autre casserole, faites fondre le reste du beurre, puis versez-y la farine. Remuez bien et laissez à feu modéré durant 2 à 3 minutes, puis retirez du feu et ajoutez très progressivement le mélange soupe-lait. Remuez bien, pour éviter la formation de grumeaux. Ensuite, portez à ébullition. Laissez bouillir 2 à 3 minutes, sans cesser de remuer.

Ajoutez alors champignons, œufs durs et thon à cette sauce. Disposez dans le plat de service ou les assiettes préalablement chauffées, et servez sans attendre.

INGRÉDIENTS
25 g de beurre
100 g de jambon cuit maigre,
    haché menu
2 cuil. à café de persil haché
4 œufs
sel et poivre gris
poivre de Cayenne

♦ ŒUFS POCHÉS AU JAMBON ♦

A servir avec des toasts ou du pain, beurrés.
♦ **Préparation et cuisson** 20 minutes ♦ **Four** 180º (5) ♦

Avec la moitié du beurre, graissez 4 ramequins.

Mélangez jambon et persil et répartissez ce mélange entre les 4 ramequins. Puis, avec précaution, cassez un œuf dans chaque petit plat, en faisant attention de ne pas casser le jaune. Saupoudrez de sel, poivre gris et poivre de Cayenne, et posez une noisette de beurre sur chaque œuf.

Placez les ramequins sur la plaque du four ou dans un plat rempli d'eau bouillante jusqu'à mi-hauteur des ramequins. Placez ensuite l'ensemble dans le four préalablement chauffé à 180º (5) et faites cuire 10 à 15 minutes, jusqu'à ce que les blancs soient pris. Servez immédiatement.

INGRÉDIENTS
450 g de haddock froid fumé
2 œufs durs
50 g de beurre
100 g de riz bouilli
1 pincée de poivre de Cayenne
sel et poivre gris

♦ KEDGEREE ♦

Ce plat à base de haddock fumé fait partie des petits déjeuners anglais traditionnels, mais il est aussi très apprécié lors des dîners-goûters. Décorez de brins de persil.
♦ **Préparation et cuisson** 15 minutes ♦

Dans le four chauffé à 80° (2), mettez le plat de service.

Coupez le poisson en petits morceaux, coupez les blancs d'œufs en rondelles et écrasez les jaunes à travers une passoire.

Faites fondre le beurre, puis versez-y riz, poisson et blancs d'œufs. Assaisonnez.

Disposez dans le plat de service et saupoudrez de jaune d'œuf. Servez immédiatement.

♦ TOAST AU PÂTÉ DE ROGNONS ♦

Décorez de brins de persil ou de rondelles de concombre.

♦ **Préparation et cuisson** 25 minutes ♦
♦ **Attention :** pour cette recette, vous aurez besoin d'un mixer ♦

INGRÉDIENTS
6 rognons d'agneau
30 cl d'eau environ
30 g de beurre
3 cuil. à soupe de crème fraîche épaisse
3/4 de cuil. à café de jus de citron
1/2 cuil. à café de poivre de Cayenne
sel et poivre gris
4 tranches de pain de mie complet

Dans une casserole, mettez les rognons dans l'eau. Portez à ébullition et laissez frémir environ 15 minutes, jusqu'à ce que les rognons soient tendres. Puis, égouttez-les et ôtez-leur peau et graisse. Passez au mixer avec le beurre, la crème fraîche, le jus de citron, le sel, le poivre gris et le poivre de Cayenne.

Étalez ensuite ce pâté sur le pain grillé et généreusement beurré. Servez chaud.

♦ FILETS DE HARENGS A LA CRÈME ♦

Ce plat peut aussi constituer une entrée appréciée lors de dîners. Il se sert avec des toasts beurrés ou du pain complet et se décore de morceaux de citron ou de persil haché.

♦ **Préparation et cuisson** 15 minutes ♦

INGRÉDIENTS
30 g de beurre
3 échalotes, finement hachées
20 cl de crème fraîche épaisse
350 g de filets de harengs fumés salés
1 pincée de noix muscade
poivre gris, fraîchement moulu

Dans une poêle, faites revenir les échalotes dans le beurre, à feu doux. Au bout de 8 à 10 minutes, elles doivent devenir transparentes. Ajoutez alors la crème fraîche et portez à ébullition.

Ajoutez ensuite les filets de harengs et laissez frémir pendant 4 à 5 minutes. Assaisonnez avec le poivre et la noix muscade.

Servez immédiatement.

INGRÉDIENTS

12 tranches de pain de mie,
de 7 mm d'épaisseur environ
4 à 6 cuil. à soupe de beurre ou
d'huile de tournesol
12 champignons à farcir,
de 6 à 8 cm de diamètre,
sans les queues
sel et poivre gris
5 à 6 anchois ou 1 cuil. à café
de "Gentleman's Relish"
3 cuil. à soupe de crème
fraîche épaisse
brins de persil ou rondelles
de concombre pour décorer

◆ CHAMPIGNONS FARCIS AUX ANCHOIS ◆

Cette recette nous vient de l'Université de Cambridge, où elle fut inventée vers 1881. Le goût salé des anchois, adouci par la crème fraîche, se marie délicieusement à la saveur délicate des champignons. Ce plat peut être servi avec du pain frit ou grillé.

◆ **Préparation et cuisson** 25 minutes ◆

Dans le four chauffé à 110° (3), mettez un plat.

A l'aide d'un emporte-pièce de 6 ou 8 cm de diamètre, découpez dans les tranches de pain des cercles, que vous ferez frire à la poêle. Puis essuyez-les avec du papier absorbant et conservez au four, dans le plat. Faites ensuite revenir les champignons à feu doux, dans la poêle couverte. Au bout de 8 à 10 minutes, retirez du feu et assaisonnez. Hachez les anchois et écrasez-les à travers une passoire métallique, pour faire une pâte. Battez la crème fraîche jusqu'à ce qu'elle soit très ferme, puis ajoutez-y la pâte d'anchois ou le "Gentleman's Relish".

Sur chaque tranche de pain frit, disposez un champignon, dans lequel vous déposerez une cuillerée de crème d'anchois. Servez sans attendre.

INGRÉDIENTS

225 g de crevettes fraîches,
décortiquées
1/4 cuil. à café de macis en
poudre
1/2 cuil. à café de clous de
girofle en poudre
1 pincée de noix muscade,
râpée
sel et poivre gris
175 g de beurre

◆ CREVETTES AU FOUR ◆

Ces crevettes, dont la recette remonte à 1830, seront délicieuses avec du pain complet grillé par exemple.
Décorez-les de rondelles de concombre ou de brins de persil.

◆ **Préparation et cuisson** 30 minutes ◆ **Four** 150° (4) ◆
◆ **Attention :** prévoir environ 1 h de plus au réfrigérateur ◆

Disposez les crevettes dans un plat à four peu profond et saupoudrez-les d'épices, de sel et de poivre. Faites fondre 50 g de beurre que vous verserez sur les crevettes. Laissez cuire 10 à 15 minutes dans le four préalablement chauffé à 150° (4).

Sortez du four, mélangez bien et répartissez dans 4 ramequins. Faites refroidir 30 minutes au réfrigérateur.

Clarifiez les 100 g restants de beurre (voir méthode ci-dessous), que vous verserez sur les crevettes. Laissez reposer au réfrigérateur 30 à 45 minutes supplémentaires.

BEURRE CLARIFIÉ

Mettez dans une casserole la quantité désirée de beurre. Faites chauffer doucement et retirez la mousse au fur et à mesure qu'elle se forme. Lorsque le beurre est très clair, versez-le sans attendre sur les crevettes (ou sur toute autre préparation).

♦ SCOTCH WOODCOCK ♦

Il s'agit de succulents toasts à l'anchois, à l'œuf,
à la crème fraîche et au persil.
Ils doivent se déguster aussi chauds que possible.

♦ **Préparation et cuisson** 20 minutes ♦

INGRÉDIENTS
12 à 15 anchois ou 1 cuil. à café de "Gentleman's Relish"
30 g de beurre
4 cuil. à soupe de crème fraîche épaisse
4 jaunes d'œufs durs, hachés
1 cuil. à café de persil haché
1 bonne pincée de poivre de Cayenne
1 pincée de sel
8 tranches de pain de mie complet

Si vous utilisez des anchois, hachez-les et écrasez-les à travers une passoire métallique, pour faire une pâte.

Faites fondre le beurre et ajoutez-y crème fraîche et jaunes d'œufs. Remuez jusqu'à ce que le mélange épaississe. Saupoudrez alors de persil haché, assaisonnez et remuez bien. Laissez mijoter à feu très doux. Grillez le pain et tartinez-le de beurre, puis de pâte d'anchois ou de "Gentleman's Relish". Portez ensuite votre préparation à ébullition et recouvrez-en le pain que vous couperez en petits carrés ou en bâtonnets. Servez immédiatement.

♦ ŒUFS BROUILLÉS ♦

Tout leur secret réside en une cuisson lente. Il faut, en outre,
remuer souvent la préparation pour laquelle on utilisera de la
crème fraîche et non du lait. Pour une note d'originalité,
ajoutez avant cuisson ciboulette, jambon ou même saumon
haché, fromage râpé, champignons en lamelles ou tomates
concassées. Servez avec du pain, grillé ou non.

♦ **Préparation et cuisson** 15 minutes ♦

INGRÉDIENTS
8 œufs
15 cl de crème fraîche épaisse
sel et poivre gris
30 g de beurre

Battez les œufs en omelette. Ajoutez la crème fraîche, assaisonnez et battez-les de nouveau.

Dans une poêle antiadhésive, faites fondre le beurre, versez les œufs et faites cuire à feu très doux, en remuant fréquemment avec une cuillère en bois.

Au bout de 10 minutes environ, les œufs commencent à durcir. Retirez la poêle du feu et laissez-y les œufs encore 30 secondes, pour terminer la cuisson. Servez immédiatement.

INGRÉDIENTS
450 g de haddock fumé
1/2 l de lait, environ
50 g de beurre
2 échalotes, finement hachées
1 cuil. à soupe de persil, haché
4 œufs
1 pincée de noix muscade
1 pincée de poivre de Cayenne
4 tranches de pain
poivre gris

Voir illustration ci-contre

◆ TOAST AU HADDOCK FUMÉ ◆

*Peut se présenter en portions individuelles ou non,
avec du pain complet ou grillé. Décorez de brins de persil.*

◆ **Préparation et cuisson** 30-40 minutes ◆ **Four** 180° (5) ◆

Dans le four préalablement chauffé à 180° (5), déposez un plat contenant le haddock et le lait. Faites cuire 10 à 15 minutes. Puis, égouttez le poisson mais ne jetez pas le jus. Enlevez peau et arêtes, avant de couper le poisson en petits morceaux.

Faites revenir les échalotes durant 8 à 10 minutes, jusqu'à ce qu'elles soient transparentes. Ajoutez poisson et persil et chauffez le tout 4 à 5 minutes. Battez les œufs avec le jus de cuisson, la noix muscade et le poivre. Versez sur le poisson et faites cuire à feu doux 4 à 5 minutes, jusqu'à ce que la sauce épaississe. Remuez de temps en temps. Grillez et beurrez le pain sur lequel vous disposerez la préparation. Servez immédiatement.

INGRÉDIENTS
15 g de beurre, ramolli
2 cuil. à soupe de crème fleurette
2 cuil. à café de ciboulette hachée ou 1 cuil. à café de ciboulette en poudre
1 cuil. à café de moutarde en grains
1/2 cuil. à café de sauce au raifort
1/2 cuil. à café de poivre gris
100 g de cheddar bien fait, râpé
4 tranches de pain

◆ WELSH RAREBIT ◆

*La recette traditionnelle ne prévoit pas de ciboulette qui,
pourtant, convient très bien à ce plat, délicieux avec des condiments tels que chutneys ou pickles. Décorez de rondelles
de concombre ou de lanières de poivron vert.*

◆ **Préparation et cuisson** 15 minutes ◆ **Grill chaud** ◆

Mélangez beurre, crème fleurette, ciboulette, moutarde, raifort et poivre. Incorporez ensuite le fromage râpé et remuez bien.

Coupez chaque tranche de pain en deux ou en quatre et faites-la griller d'un seul côté. Puis, tartinez l'autre côté de beurre que vous recouvrirez ensuite de la préparation.

Enfournez au grill préalablement chauffé et laissez cuire 4 à 5 minutes, jusqu'à ce que le fromage soit doré. Servez aussitôt.

VARIANTES

Buck rarebit Procédez exactement comme ci-dessus, mais ajoutez 1 œuf poché sur chaque portion.

Gloucestershire rarebit Procédez exactement comme ci-dessus, mais remplacez le cheddar par du Double Gloucester et le raifort par 2 à 3 cuillerées à soupe de cidre brut.

Goûters-dîners (Dans le sens des aiguilles d'une montre et en partant du haut) Eccles cakes (voir p. 62); Œufs au thon (voir p. 91); Toast au haddock fumé (voir ci-dessus); Chocolate squares (voir p. 60).

GOÛTERS D'ENFANTS

Aux époques victorienne et edwardienne, il était d'usage que les enfants goûtent, en compagnie de leur gouvernante, de sandwiches et petits gâteaux qui avaient le double avantage de leur plaire et d'être nourrissants.

Aujourd'hui, en Grande-Bretagne comme en France, les enfants aiment à goûter en rentrant de l'école. Voici quelques recettes qui vous permettront, pour leur plus grand plaisir, de varier leur collation.

SANDWICHES

Note   *«Pour 1 sandwich» se rapporte à deux tranches de pain, indépendamment du nombre de petits carrés ou de bâtonnets que l'on y découpe ensuite.*

♦ ALPHABETS ♦

Sur ces mini-sandwiches, vous dessinerez à la poche à douille chiffres ou lettres, les initiales des enfants par exemple. Décorez de rondelles de concombre ou de tomate.

♦ **Préparation** 30 minutes ♦

Beurrez le pain et disposez sur 5 tranches les morceaux de jambon ou de porc, et sur les 5 autres, les tranches de fromage fondu. Écroûtez et coupez à l'emporte-pièce.

INGRÉDIENTS
(pour 30 mini-sandwiches)
10 tranches de différents pains
60 à 75 g de beurre, ramolli
5 à 6 tranches de jambon ou de porc, en petits morceaux
5 tranches de fromage fondu pour toasts
50 g de fromage frais, genre Petit Gervais
1 cuil. à soupe de lait

Le thé à l'anglaise (Dans le sens des aiguilles d'une montre et en partant du haut) Old English cider cake (voir p. 77); Éclairs (voir p. 63); Madeira cake (voir p. 75).

Battez le fromage frais avec le lait et mettez ce mélange dans une poche à douille. Si vous n'en possédez pas, formez un petit cornet de papier sulfurisé que vous remplirez de la préparation, avant d'en couper le bout.

Sur chaque mini-sandwich, dessinez ensuite une lettre.

INGRÉDIENTS
(pour 2 sandwiches)
4 tranches de pain bis
25 g de beurre, ramolli
2 bananes bien mûres
75 g de chocolat noir ou au
  lait, râpé

◆ SANDWICHES A LA BANANE ET AU CHOCOLAT ◆

Les enfants les adorent et ils sont très faciles à réaliser.

◆ Préparation 8 minutes ◆

Beurrez le pain. Coupez les bananes en rondelles. Réservez-en 4 pour la décoration. Disposez les autres sur 2 tranches de pain. Saupoudrez de chocolat râpé et refermez les sandwiches, que vous écroûterez et couperez en 2 triangles chacun. Décorez ensuite avec les rondelles de banane que vous aurez réservées.

INGRÉDIENTS
(pour 2 sandwiches)
4 tranches de pain aux céréales
25 g de beurre, ramolli
4 cuil. à soupe de pâte
  d'arachide
75 g de cheddar, râpé
quelques feuilles de laitue
  ciselées

◆ SANDWICHES AU FROMAGE ET A LA PÂTE D'ARACHIDE ◆

Si vous le désirez, vous pouvez remplacer la laitue
par des rondelles de concombre.

◆ Préparation 5 minutes ◆

Tartinez le pain de beurre, puis de pâte d'arachide. Sur 2 tranches, disposez le fromage râpé, puis la laitue ciselée. Refermez les sandwiches, écroûtez-les et coupez-les en 2 triangles chacun.

◆ SANDWICHES
A LA SAUCISSE FROIDE ◆

*Si vous le souhaitez, vous pouvez ajouter du fromage râpé
et quelques feuilles de laitue ciselées, et remplacer le ketchup
par de la mayonnaise.*

◆ **Préparation** 5 minutes ◆

Beurrez le pain. Coupez les saucisses en tranches fines. Tartinez
2 tranches de pain de ketchup et placez-y les saucisses. Refermez
les sandwiches que vous écroûterez et couperez en 4.

INGRÉDIENTS
(pour 2 sandwiches)
4 tranches de pain
25 g de beurre, ramolli
2 saucisses froides
2 cuil. à café de ketchup

◆ BROCHETTES
DE SANDWICHES ◆

*Vous pouvez varier à votre gré la garniture de ces sandwiches.
Toutefois, attention à ne pas employer d'ingrédients
qui risqueraient de couler ou de glisser.*

◆ **Préparation** 20 minutes ◆

Beurrez le pain.
   Avec le pain complet, faites un sandwich au pâté de foie, que
vous écroûterez et couperez en 4 carrés.
   Avec 2 tranches de pain aux céréales, faites un sandwich à la
« Marmite » et au fromage, que vous écroûterez et couperez en
4 triangles.
   Écrasez les sardines avec l'œuf et mélangez avec la mayonnaise.
Assaisonnez et faites-en un sandwich avec les 2 tranches restantes
de pain aux céréales. Écroûtez et coupez en 4 carrés.
   Avec le pain blanc, faites un sandwich à la viande que vous
écroûterez et couperez en 4 triangles.
   Sur chaque pique, enfilez: 1 morceau d'ananas, 1 sandwich au
pâté, 1 rondelle de concombre ou de poivron vert, 1 sandwich au
fromage, 1 rondelle de carotte, 1 sandwich à la sardine. Terminez
par un autre morceau d'ananas.

INGRÉDIENTS
(pour 4 brochettes)
8 tranches de pain (2 de pain
   complet, 4 aux céréales
   et 2 de pain blanc)
50 g de beurre, ramolli
25 g de pâté de foie
1/2 cuil. à café de « Marmite »
25 g de cheddar, en tranches
2 sardines, sans arêtes
1 œuf dur, écrasé
1 cuil. à café de mayonnaise
sel et poivre
2 tranches de viande froide
   (au choix)
8 morceaux d'ananas
4 grosses rondelles de
   concombre ou de poivron vert
4 rondelles de carottes
4 piques en bois

CANAPÉS, BROCHETTES, HAMBURGERS, ETC.

INGRÉDIENTS
(pour 8 petits toasts)
25 g de beurre, ramolli
1 œuf, battu
1 cuil. à soupe de crème
   fraîche épaisse
sel et poivre
50 g de jambon, haché
2 tranches de pain complet

♦ TOASTS A L'ŒUF ET AU JAMBON ♦

Les enfants adoreront ces œufs brouillés au jambon,
décorés d'une rondelle de radis.

♦ **Préparation et cuisson** 20 minutes ♦

Dans une casserole, faites fondre 15 g de beurre. Battez l'œuf avec la crème fraîche, assaisonnez et versez dans la casserole. Faites cuire à feu doux, en remuant fréquemment. Ajoutez le jambon.

Lorsque l'œuf commence à durcir, retirez la casserole du feu, et laissez-le quelques instants, pour qu'il finisse de cuire dans sa propre chaleur.

Pendant ce temps, faites griller le pain, beurrez-le et écroûtez-le. Garnissez-le ensuite d'œuf brouillé et coupez chaque tranche en 4.

INGRÉDIENTS
(pour 24 bateaux)
4 œufs
2 cuil. à soupe de lait
sel et poivre gris
50 g de beurre, ramolli
8 grandes tranches de pain
   aux céréales
12 tranches fines de salami
   et/ou de cervelas
24 piques en bois

♦ « PETITS BATEAUX » A L'ŒUF ET A LA VIANDE ♦

Leur coque est de toast et d'œufs brouillés, tandis que
leurs voiles sont faites de cervelas ou de salami.
Garnissez le plat de brins de persil.

♦ **Préparation et cuisson** 25 minutes ♦

Battez les œufs en omelette avec le lait et assaisonnez. Dans une casserole antiadhésive, faites fondre un peu de beurre, puis versez les œufs. Faites cuire à feu doux, en remuant fréquemment. Lorsque les œufs brouillés sont presque cuits, retirez-les du feu et laissez refroidir.

Faites griller le pain, écroûtez-le et beurrez-le. Répartissez les œufs brouillés sur les tranches que vous couperez en 3, dans le sens de la longueur.

Coupez les tranches de salami ou de cervelas en deux et pour figurer les voiles, enfilez-les verticalement sur des piques en bois que vous planterez ensuite dans le pain.

♦ HAMBURGERS-SURPRISE ♦

Attention : ne pas oublier de prévoir couteaux et fourchettes !

♦ **Préparation et cuisson** 30 minutes ♦ **Four** 170º (5) ♦

Dans une poêle, faites frire doucement les rondelles d'oignons pendant environ 10 à 15 minutes, jusqu'à ce qu'elles soient légèrement dorées. Puis, retirez-les de la poêle à l'aide d'une écumoire, et essuyez-les avec du papier absorbant. Gardez au chaud dans un plat, au four chauffé à 170º (5).

Faites frire ou griller sur les deux faces les hamburgers et la poitrine salée (10 à 15 minutes, environ). Puis, retirez-les de la poêle, égouttez-les et conservez-les au chaud. Faites chauffer les haricots à la tomate.

Coupez chaque petit pain en deux et garnissez d'un hamburger que vous recouvrirez d'une cuillerée de haricots à la tomate, d'une tranche de poitrine salée, d'un peu de fromage râpé et, pour finir, de rondelles d'oignons. Refermez et servez chaud.

INGRÉDIENTS
(pour 6 hamburgers)
3 oignons moyens, coupés en rondelles
6 hamburgers
6 tranches de poitrine salée
1 boîte de 200 g de haricots blancs à la tomate
6 petits pains au sésame
100 g de cheddar, râpé

♦ BROCHETTES DE SAUCISSE, POITRINE SALÉE ET FROMAGE ♦

Présentez-les sur des moitiés de pommes ou de pamplemousses, retournées sur une jolie assiette.

♦ **Préparation et cuisson** 40 minutes ♦

Faites griller les chipolatas que vous couperez en 3 et conserverez au chaud. Faites ensuite griller la poitrine salée qui doit être bien cuite, mais pas trop croquante.

Sur chaque pique en bois, enfilez un morceau de fromage, un morceau de chipolata, un autre morceau de fromage, un rouleau de poitrine salée. Terminez par un morceau de fromage.

INGRÉDIENTS
(pour 24 brochettes)
225 g de chipolatas
24 tranches de poitrine salée, roulées et fixées avec une pique en bois
225 g de fromages de différentes couleurs
24 piques en bois

INGRÉDIENTS
(pour 4 à 6 portions)
25 g de beurre
1 oignon, haché
50 g de céleri, en fines tranches
1 boîte de 225 g de tomates
  pelées
1/2 cuil. à café de moutarde
4 ou 5 gouttes de Worcester
  sauce
sel et poivre gris
1/2 cuil. à café de sucre en
  poudre
1 pincée de fines herbes
500 g de saucisses cuites
  (froides ou chaudes)

◆ SAUCISSES
A LA SAUCE TOMATE ◆

Cette sauce, qui convient à la plupart des viandes, peut
accompagner poulet, dinde, jambon cuit, côtes d'agneau, etc.
On peut l'agrémenter de lanières de différents légumes.

◆ **Préparation et cuisson** 30 minutes ◆

Faites fondre le beurre, puis mettez-y à revenir oignons et céleri
pendant environ 10 minutes, jusqu'à ce qu'ils soient tendres. Ne
les laissez pas prendre couleur. Ajoutez ensuite tous les autres
ingrédients (sauf les saucisses) et faites cuire à feu doux pendant
8 à 10 minutes.

Sur le plat de service, placez un bol contenant la sauce. Disposez les saucisses en étoile tout autour.

BISCUITS, GÂTEAUX ET GELÉES

INGRÉDIENTS
(pour 21 gâteaux)
Pour le gâteau lui-même
4 œufs
100 g de sucre en poudre
75 g de farine, tamisée
50 g de beurre, fondu

Pour le glaçage et la décoration
30 g de beurre
75 g de sucre glace
2 cuil. à café d'eau chaude
quelques gouttes de colorant
  rose
32 pastilles de chocolat
  à la menthe

◆ MOUSTACHES DE CHAT ◆

Il s'agit de petits morceaux de génoise recouverts d'un glaçage
rose et sur lesquels des pastilles de chocolat fourré à la menthe
figurent des têtes de chat. Dans notre recette, le glaçage est rose,
ainsi que les yeux, museaux et moustaches des chats, mais vous
pouvez les réaliser dans la couleur de votre choix.

◆ **Préparation** 50 minutes ◆ **Cuisson** 25-30 minutes ◆ **Four** 180° (5) ◆

Dans une terrine au bain-marie, battez œufs et sucre, jusqu'à
obtention d'un mélange jaune pâle qui fait le ruban. Cette opération doit prendre 6 à 8 minutes.

Éloignez la terrine de la source de chaleur et continuez à
battre, jusqu'à ce que le mélange soit froid. Avec une cuillère en
métal, ajoutez alors les deux tiers de la farine et remuez doucement. Incorporez ensuite le beurre et le reste de la farine.

Versez dans un plat peu profond d'environ 28 × 18 cm, graissé
et garni de papier sulfurisé, que vous placerez dans le four préalablement chauffé à 180° (5). Laissez cuire 25 à 30 minutes,
jusqu'à ce que le gâteau soit ferme et légèrement doré. Sortez-le
du four et laissez-le refroidir sur une grille métallique. Démoulez,
ôtez le papier sulfurisé et retournez le gâteau.

Pour le glaçage, travaillez le beurre en crème avec le sucre glace et l'eau chaude, jusqu'à obtention d'un mélange léger et mousseux. Ajoutez le colorant alimentaire. Réservez 1 cuillerée à soupe de glaçage, et étalez le reste sur le gâteau. Coupez les bords avec un couteau bien aiguisé et, avec les dents d'une fourchette, décorez-les.

Coupez le gâteau en 3 dans le sens de la longueur, puis chaque bande ainsi obtenue en 7. Déposez une pastille de chocolat à la menthe sur chaque morceau. Coupez les 11 chocolats restants en 4. Ils formeront les oreilles des chats.

Il reste à dessiner les yeux, le museau et les moustaches de chaque chat. Pour cela, utilisez une poche à douille. Si vous n'en possédez pas, confectionnez un petit cornet de papier sulfurisé et versez-y le reste du glaçage avant d'en couper l'extrémité.

♦ CHOCOLATE CRISPIES ♦

Il s'agit d'une préparation à base de riz soufflé ou de corn-flakes. Elle est si facile à réaliser que vos enfants sauront la confectionner tous seuls.

♦ **Préparation et cuisson** 15 minutes + 30 minutes au réfrigérateur ♦

INGRÉDIENTS
(pour 15 chocolate crispies)
50 g de beurre ou de margarine
10 cuil. à café de sirop de
   glucose
100 g de chocolat noir
75 g de riz soufflé
   ou de corn-flakes

Dans une casserole, faites fondre à feu doux le beurre ou la margarine, le sirop de glucose et le chocolat. Ajoutez le riz soufflé ou les corn-flakes et mélangez pour bien les enrober de chocolat.

Vous pouvez alors déposer des cuillerées de ce mélange soit sur la plaque du four ou dans un plat beurré, soit dans des caissettes de papier, placées dans des moules individuels. Laissez refroidir 30 minutes au réfrigérateur. Démoulez avec soin.

♦ CHOCOLATE FUDGE CAKE ♦

Se présentent sous forme de bâtonnets ou de petits cubes.

♦ **Préparation et cuisson** 15 minutes + 1 h au réfrigérateur ♦

INGRÉDIENTS
(pour 14 bâtonnets)
50 g de beurre ou de margarine
3 cuil. à soupe de sirop de
   glucose
200 g de chocolat noir
225 g de biscuits sablés
   (au gingembre ou non),
   écrasés très finement
50 g de raisins secs

Dans une casserole, faites fondre à feu doux le beurre ou la margarine, le sirop de glucose et le chocolat. Ajoutez les biscuits écrasés et les raisins secs. Remuez bien.

Versez dans un moule carré de 18 cm environ, graissé. Laissez reposer 1 heure au réfrigérateur, puis coupez en 14 bâtonnets.

INGRÉDIENTS
(pour 12 munchies)
75 g de chocolat noir
2 cuil. à soupe de lait
  concentré
150 g de noix de coco en
  poudre
1 à 2 cuil. à soupe de sucre
  glace

◆ CHOCOLATE MUNCHIES ◆

Faciles et rapides à préparer, ils tiennent lieu à la fois de petits gâteaux et de bonbons.

◆ **Préparation et cuisson** 15 minutes + 1 h environ au réfrigérateur ◆

Cassez le chocolat en carrés que vous ferez fondre dans le lait, au bain-marie. Remuez de temps en temps.

Lorsque le chocolat est fondu, éloignez la terrine de la source de chaleur et ajoutez la noix de coco. Avec ce mélange, faites 12 boules que vous roulerez dans le sucre glace et placerez sur un plat graissé. Laissez reposer au réfrigérateur 45 minutes à 1 heure.

INGRÉDIENTS
(pour 4)
15 cl de crème fraîche épaisse
1/2 l de glace à la vanille
  ou à la framboise
500 g de fruits frais
fruits confits ou pistaches

◆ SUNDAES AUX FRUITS ◆

Vous accompagnerez cette glace du fruit de votre choix : framboises, fraises, banane, mangue, etc.

◆ **Préparation** 15 minutes ◆

Fouettez la crème fraîche, qui doit devenir très ferme, et placez-la dans une poche à douille.

Dans 4 coupes individuelles, disposez une boule de glace puis une couche de fruits. Fraises ou framboises seront meilleures écrasées, pêches, bananes, mangue et ananas en tranches.

Ajoutez une autre boule de glace sur le dessus, puis recouvrez de crème et décorez d'un morceau de fruit confit ou de quelques pistaches.

INGRÉDIENTS
15 cl de lait
2 1/2 cuil. à soupe de mélasse
225 g de farine à la levure,
  tamisée
1 pincée de sel
1 cuil. à café de bicarbonate de
  soude
50 g de raisins secs

◆ PAIN DORÉ FANTAISIE ◆

Ce pain, léger et moelleux, est encore meilleur tartiné de confiture.

◆ **Préparation** 10 minutes ◆ **Cuisson** 1 h ◆ **Four** 180° (5) ◆

Chauffez ensemble, à feu doux, le lait et la mélasse. Ajoutez tous les autres ingrédients et mélangez bien.

Versez dans un moule de 18 cm de diamètre, que vous placerez dans le four préalablement chauffé à 180° (5). Faites cuire 1 heure, jusqu'à ce que la lame d'un couteau ressorte propre. Laissez ensuite refroidir sur une grille métallique.

♦ JELLY WHIP ♦

Les enfants aiment beaucoup ces gelées colorées. Si vous les préférez plus molles, utilisez davantage de lait concentré.

♦ **Préparation** 45 minutes + 1 h au réfrigérateur ♦

INGRÉDIENTS
(pour 6 à 8 portions)
1 cube de « jelly » (parfum au choix)
27,5 cl d'eau chaude
1 boîte de 200 g de lait concentré

Faites dissoudre le cube de gelée dans l'eau. Mélangez bien. Attendez 30 à 40 minutes puis, lorsque la gelée commence à prendre, ajoutez le lait concentré et battez vigoureusement, au mixer si possible, jusqu'à ce que la préparation soit assez ferme. Attention, le mélange augmentant de volume, il est recommandé d'utiliser un grand récipient.

Versez ensuite la préparation dans un moule d'un demi-litre au moins, et laissez prendre au réfrigérateur pendant environ 1 heure. Pour démouler, plongez le fond du moule quelques secondes dans l'eau chaude jusqu'à mi-hauteur. Secouez prestement, recouvrez d'un plat et renversez le tout. La gelée doit alors glisser d'un bloc.

♦ SHORTCAKE BISCUITS ♦

Il s'agit de délicieux biscuits sablés.

♦ **Préparation** 15 minutes ♦ **Cuisson** 30-35 minutes ♦ **Four** 190° (6) ♦

INGRÉDIENTS
(pour 8 biscuits)
100 g de beurre, ramolli
25 g de sucre en poudre
1/2 cuil. à café d'arôme de vanille
85 g de farine, tamisée
1 cuil. à soupe de farine de maïs
1 cuil. à soupe de sucre glace

Travaillez le beurre en crème avec le sucre, jusqu'à obtenir un mélange léger et mousseux. Ajoutez l'arôme de vanille, puis la farine et la farine de maïs, tout en remuant à la cuillère en bois. La pâte doit être assez ferme.

Versez-la dans une poche à douille et choisissez un embout en forme d'étoile. Sur la plaque graissée du four préalablement chauffé à 190° (6), dessinez 8 cercles, en partant de l'intérieur et en élargissant en spirale.

Faites cuire 30 à 35 minutes, jusqu'à ce que les biscuits deviennent légèrement dorés. Puis, sortez-les du four et laissez-les refroidir sur la plaque 2 à 3 minutes, avant de les déposer avec soin sur la grille métallique.

Saupoudrez de sucre glace.

BUFFETS DE MARIAGE & GRANDES OCCASIONS

En de telles circonstances, il est essentiel que la nourriture soit non seulement élégante et raffinée, mais aussi qu'elle soit facile à manger avec les doigts. Vous veillerez à orner la table de bouquets de fleurs fraîches, et à décorer avec soin canapés et petits pâtés joliment disposés dans les plats. A cet effet, vous utiliserez cresson, cresson alénois, rondelles de citron et morceaux de fruits qui, en ajoutant des touches de couleur, rendront vos préparations encore plus appétissantes.

CANAPÉS

Note *Les recettes sont établies pour 16 canapés*

INGRÉDIENTS
4 tranches de pain complet,
  grillées et écroûtées
75 g de fromage frais
1 petite échalote,
  finement hachée
1 œuf, battu
quelques gouttes de tabasco

♦ CANAPÉS AU FROMAGE FRAIS ♦

A préparer au dernier moment, et à servir aussitôt.
Décorez-les de brins de persil.
♦ **Préparation et cuisson** 20 minutes ♦ **Four** 190º (6) ♦

Coupez chaque tranche de pain grillé en 4.

Mélangez dans une terrine fromage frais, échalote finement hachée, œuf et tabasco et battez jusqu'à ce que la préparation soit légère et mousseuse. Étalez-la alors sur les petits toasts que vous placerez sur la plaque du four. Chauffez le plat de service.

Dans le four préalablement chauffé à 190º (6), faites cuire les canapés 5 à 10 minutes, jusqu'à ce qu'ils commencent à dorer. Sortez du four et servez immédiatement.

♦ CANAPÉS AU SALAMI ET AU CONCOMBRE ♦

Ils peuvent avoir pour base petits biscuits salés ou pain, grillé ou non.

♦ **Préparation** 10 minutes ♦

INGRÉDIENTS
8 tranches de pain aux céréales
50 g de beurre, ramolli
1 ou 2 cuil. à café de moutarde en grains
16 tranches de salami
1/2 concombre, pelé et coupé en rondelles

A l'aide d'un emporte-pièce de même diamètre que les tranches de salami, découpez des cercles dans le pain. Tartinez-les ensuite de beurre et d'un peu de moutarde.

Disposez sur chaque cercle une tranche de salami.

Coupez les rondelles de concombre en deux, et placez-en trois sur chaque canapé, disposées en hélice d'avion.

♦ CANAPÉS A LA SARDINE ♦

Ils figurent parmi les canapés les plus décoratifs que l'on puisse présenter à l'occasion d'un buffet.

♦ **Préparation** 15 minutes ♦

INGRÉDIENTS
4 tranches de pain de mie, écroûtées
50 g de beurre, ramolli
1 boîte de 120 g de sardines
poivre gris
1/2 cuil. à café de jus de citron
2 cuil. à café de persil, haché
3 œufs durs, en rondelles fines
16 filets d'anchois, enroulés

Beurrez le pain et coupez chaque tranche en 4 triangles. Égouttez les sardines et retirez les arêtes. Dans un bol, écrasez la chair, ajoutez poivre gris, jus de citron et persil.

Étalez la préparation sur le pain et recouvrez d'une rondelle d'œuf, sur laquelle vous disposerez un anchois enroulé.

♦ CANAPÉS AUX CREVETTES ♦

Cette garniture délicieusement relevée peut aussi bien être servie sur des petits biscuits salés que sur des toasts. Décorez de persil haché.

♦ **Préparation et cuisson** 10 minutes ♦

INGRÉDIENTS
4 tranches de pain de mie, écroûtées
50 g de beurre
100 g de crevettes, décortiquées
1/4 cuil. à café de curry
1 pincée de poivre de Cayenne
1 pincée de sel
2 cuil. à café de jus de citron
1 cuil. à soupe de crème fraîche épaisse

Faites frire le pain des deux côtés dans de l'huile ou du beurre. Égouttez et coupez chaque tranche en 4 carrés.

Faites fondre le beurre. Lorsqu'il est bien chaud, ajoutez crevettes, curry, poivre de Cayenne, sel, jus de citron et crème fraîche. Laissez mijoter 3 à 4 minutes.

A l'aide d'une écumoire, retirez alors les crevettes de la poêle, pour les placer directement sur le pain. Servez chaud.

♦ AUTRES SUGGESTIONS DE CANAPÉS ♦

Pour le plaisir des yeux, pensez à varier formes
(à l'aide d'emporte-pièce) et couleurs.

1   Petits biscuits salés ronds recouverts d'une rondelle de tomate. A l'aide d'une poche à douille (embout étoilé), décorez d'un peu de fromage frais.

2   Triangles ou losanges de pain complet recouverts de saumon fumé. Décorez de petits triangles de citron et de brins de persil.

3   Petits biscuits salés tartinés de pâté de foie. Garnissez d'une rondelle d'olive farcie ou de quelques câpres.

4   Petits biscuits salés recouverts de fromage frais et d'une cuillerée à café de caviar ou d'œufs de lump.

5   Carrés de pain frit, tartinés d'une préparation à base de thon mélangé avec de la crème aigre ou de la mayonnaise et garnis d'une feuille de menthe.

6   Carrés ou triangles de pain complet, grillé, beurré et recouvert d'un peu de moutarde et de carrés ou triangles de jambon. Décorez d'une pointe d'asperge.

SANDWICHES

Note   *«Pour un sandwich» se rapporte à deux tranches de pain (de mie, de préférence),*
indépendamment du nombre de carrés, bâtonnets, etc.

INGRÉDIENTS
(pour 5 sandwiches)
50 g de beurre
6,5 cl de crème fraîche épaisse
1/4 cuil. à café de moutarde
1 très petite pincée de poivre
   de Cayenne
sel et poivre gris
10 tranches de pain blanc
   ou bis
75 g de caviar
le jus d'1/2 citron

♦ CAVIAR ♦

Vous pouvez remplacer le caviar par des œufs de lump.
Décorez de petits morceaux de citron.

♦ **Préparation** 10 minutes ♦

Travaillez le beurre jusqu'à ce qu'il devienne crémeux. Fouettez la crème fraîche. Lorsqu'elle est ferme, incorporez-la au beurre à l'aide d'une cuillère en bois. Ajoutez moutarde, sel, poivre gris et poivre de Cayenne. Tartinez le pain de beurre, puis de la préparation. Sur la moitié des tranches, étalez le caviar (sans trop appuyer) et pressez quelques gouttes de citron.

Refermez les sandwiches que vous écroûterez et découperez soigneusement en carrés ou en triangles.

◆ AVOCAT ET JAMBON ◆

Garnissez de rondelles de concombre.

◆ **Préparation** 10 minutes ◆

Écrasez l'avocat et ajoutez à cette pâte l'échalote hachée. Assaisonnez et étalez la préparation sur la moitié des tranches de pain. Recouvrez de tranches de jambon et des feuilles de laitue.

Tartinez les autres tranches de pain de beurre à la moutarde. Refermez les sandwiches que vous écroûterez et couperez en triangles.

INGRÉDIENTS
(pour 5 sandwiches)
1 avocat bien mûr
1 échalote, hachée menu
sel et poivre gris
10 tranches de pain bis
350 g de jambon, en tranches
quelques feuilles de laitue,
    ciselées
5 cuil. à soupe environ de
    beurre à la moutarde, ramolli
    (voir recette page 36)

◆ HUÎTRES ◆

Cette préparation peut aussi se servir sur des canapés.

◆ **Préparation et cuisson** 5 minutes ◆
◆ **Attention :** prévoir 45 minutes à 1 h au réfrigérateur ◆

Graissez un bol ou un petit moule d'1/4 l environ.

Dans une casserole, mettez les huîtres, 25 g de beurre, la chapelure, la crème fraîche et les œufs. Assaisonnez et portez à ébullition. Faites bouillir 3 à 4 minutes, sans cesser de remuer. Versez ensuite dans le bol ou le moule et laissez reposer au réfrigérateur 45 minutes à 1 heure.

Tartinez le pain avec le reste du beurre. Découpez la préparation en tranches fines que vous disposerez sur la moitié du pain.

Refermez les sandwiches que vous écroûterez et découperez en carrés ou en bâtonnets.

INGRÉDIENTS
(pour 5 sandwiches)
40 huîtres
150 g de beurre, ramolli
4 cuil. à café de chapelure
4 cuil. à soupe de crème
    fraîche épaisse
2 œufs, battus
sel et poivre gris
10 tranches de pain bis
rondelles de concombre
    ou persil pour décorer

◆ CREVETTES ◆

Utilisez de préférence des crevettes fraîches.

◆ **Préparation** 10 minutes ◆

Essuyez les crevettes avec du papier absorbant.

Fouettez la crème fraîche. Lorsqu'elle est bien ferme, ajoutez le jus de citron et assaisonnez. Ajoutez ensuite les crevettes et remuez doucement, pour bien les répartir dans la préparation.

Beurrez le pain et étalez le mélange sur la moitié des tranches. Refermez les sandwiches que vous couperez en triangles.

INGRÉDIENTS
(pour 5 sandwiches)
100 g de crevettes, décortiquées
10 cl de crème fraîche épaisse
1/2 cuil. à café de jus de citron
sel et poivre gris
10 fines tranches de pain bis
65 g de beurre, ramolli
morceaux de citron ou
    rondelles de concombre
    pour décorer

VOL-AU-VENT, PETITS PÂTÉS, ETC.

INGRÉDIENTS
(pour 20 vol-au-vent)
Pour les croûtes
pâte feuilletée 6 tours (suivre
   la recette page 137, mais
   en divisant toutes les
   proportions par deux.
   Par exemple : 225 g de
   farine, etc.)
1 œuf battu, pour dorer
   les croûtes

Pour la garniture
25 g de beurre
25 g de farine
1 boîte de soupe (aux
   champignons ou au poulet)
   de 300 g environ
sel et poivre
1 pincée de poivre de Cayenne
225 g de poulet froid,
   en petits morceaux
225 g de maïs en grains

Voir illustration page 113

♦ VOL-AU-VENT AU POULET ♦

Vous pouvez remplacer la sauce au poulet par des crevettes à la béchamel, du jambon et des champignons au fromage, ou encore du thon, des œufs écrasés et des poivrons verts à la béchamel. Décorez de brins de persil, de lanières de poivrons rouges ou de rondelles de tomates.

♦ **Préparation** 30 minutes ♦ **Cuisson** 15-20 minutes ♦ **Four** 230º (7) ♦
♦ **Attention :** prévoir 4 h pour confectionner la pâte ♦

Faites une pâte feuilletée 6 tours et laissez-la reposer 30 minutes au réfrigérateur. Puis, sur une planche farinée, étalez-la en une abaisse de 2 cm d'épaisseur. A l'aide d'un emporte-pièce de 2,5 à 4 cm de diamètre, préalablement trempé dans la farine, découpez des cercles dans la pâte.

Prenez ensuite un emporte-pièce de diamètre inférieur et, après l'avoir trempé dans la farine, enfoncez-le au centre de chaque abaisse, à mi-hauteur de la pâte.

Placez sur la plaque graissée du four préalablement chauffé à 230º (7) et laissez cuire 15 à 20 minutes, jusqu'à ce que la pâte dore légèrement. Faites ensuite refroidir sur une grille métallique. Lorsque les croûtes sont froides, avec la pointe d'un couteau, retirez avec soin les chapeaux et creusez l'intérieur avec une cuillère.

Tandis que les croûtes refroidissent, vous réaliserez la garniture. Pour cela, faites fondre le beurre à feu modéré et versez-y la farine en pluie. Mélangez rapidement et laissez cuire 2 à 3 minutes. Éloignez ensuite la casserole de la source de chaleur et, très progressivement, ajoutez la soupe, en tournant pour obtenir un mélange lisse et homogène. Replacez alors la casserole sur le feu et portez à ébullition, jusqu'à ce que la sauce épaississe. Puis assaisonnez (sel, poivre gris et poivre de Cayenne) et laissez refroidir.

Lorsque la sauce est froide, ajoutez le poulet et le maïs en grains. Remuez bien pour répartir parfaitement les ingrédients. Puis, à l'aide d'une cuillère, garnissez les croûtes de cette préparation et replacez les chapeaux.

◆ RONDELLES DE CONCOMBRE AU MAQUEREAU FUMÉ ◆

Aussi légères qu'agréables au palais, elles se présentent décorées d'un brin de persil ou d'un éclat de poivron rouge.

◆ **Préparation** 20 minutes ◆

Ôtez la peau et les arêtes du maquereau. Coupez la chair en petits morceaux.

Travaillez le beurre jusqu'à ce qu'il soit léger et mousseux. Ajoutez alors le poisson, le jus de citron et la ciboulette. Assaisonnez et battez vigoureusement pour obtenir un mélange homogène.

Coupez le concombre en rondelles de 2 cm d'épaisseur. Avec une petite cuillère, évidez chaque tranche jusqu'à mi-hauteur.

Dans chaque coupelle ainsi constituée, déposez un peu de pâte au maquereau fumé.

INGRÉDIENTS
(pour 20 rondelles)
225 g de filet de maquereau fumé (environ 2 poissons)
50 g de beurre, ramolli
100 g de fromage frais
le jus d'1/2 citron
2 cuil. à café de ciboulette hachée
sel et poivre gris
1 concombre, lavé et essuyé

Voir illustration page 113

◆ CROUSTADES AU JAMBON ET AU FOIE ◆

Vous pouvez en varier la garniture, en utilisant par exemple poulet ou dinde et pâté de foie, ou bien jambon ou champignons hachés avec du fromage blanc. Décorez de brins de cresson ou de cresson alénois.

◆ **Préparation** 30 minutes ◆ **Cuisson** 10-12 minutes ◆ **Four** 230° (7) ◆
◆ **Attention :** prévoir 4 h pour confectionner la pâte ◆

Sur une planche farinée, étalez la pâte en une abaisse de 25 × 20 cm, que vous découperez en 20 carrés.

Mélangez jambon, cornichons, saucisse au pâté de foie. Poivrez. Déposez un peu de cette préparation au centre de chaque carré de pâte, que vous replierez en deux, en triangle. Soudez les bords et dorez au lait.

Placez les croustades sur la plaque beurrée du four préalablement chauffé à 230° (7) et laissez cuire 10 à 12 minutes, jusqu'à ce qu'elles gonflent et dorent. Laissez refroidir sur une grille métallique.

INGRÉDIENTS
(pour 20 croustades)
pâte feuilletée (suivre la recette page 137 mais en divisant les proportions par 4. Par exemple : 100 g de farine, etc.)
100 g de jambon cuit, maigre, haché
1 cuil. à soupe de cornichons, hachés
50 g de saucisse au pâté de foie
poivre gris, fraîchement moulu
1 à 2 cuil. à soupe de lait

INGRÉDIENTS
(pour 36 rouleaux)
100 g de beurre, ramolli
2 cuil. à soupe de crème
    fraîche épaisse
50 g d'olives noires,
    dénoyautées et hachées
poivre gris, fraîchement moulu
1 cuil. à café de jus de citron
6 tranches de pain de mie
    (blanc ou complet)
3 ou 4 barquettes de cresson
    alénois
piques en bois

◆ PETITS ROULEAUX AU BEURRE D'OLIVE ◆

Il s'agit de tranches de pain tartinées, que l'on enroule, comme une bûche de Noël.

◆ **Préparation** 15 minutes ◆

Travaillez le beurre, qui doit devenir léger et mousseux. Ajoutez alors la crème fraîche, les olives hachées, le poivre et le jus de citron. Battez fortement pour obtenir un mélange lisse et homogène, dont vous tartinerez le pain.

Parsemez les tranches de cresson alénois, puis roulez-les et fixez-les avec une pique en bois. Enveloppez-les de papier transparent et conservez au réfrigérateur.

Avant de servir, ôtez les piques en bois et coupez chaque tranche en 6 petits rouleaux.

INGRÉDIENTS
(pour 36 rouleaux)
350 g de saumon fumé en
    tranches
85 g de beurre, ramolli
1 cuil. à soupe de jus de citron
100 g de fromage frais
sel et poivre gris
1 ou 2 cuil. à soupe de crème
    fleurette (facultatif)
6 tranches de pain de mie
    complet, écroûtées

◆ PETITS ROULEAUX AU SAUMON FUMÉ ◆

Vous les garnirez de brins de persil et d'éclats de citron.

◆ **Préparation** 30 minutes ◆
◆ **Attention :** pour cette recette, vous aurez besoin d'un mixer ◆

Retirez la peau et les arêtes du saumon. Ensuite, faites un pâté de saumon. Pour cela, mettez dans le mixer 100 g de saumon, 25 g de beurre, le jus de citron et le fromage frais. Assaisonnez. Mixez jusqu'à obtention d'un mélange homogène. S'il est trop consistant, vous pouvez ajouter un peu de crème fraîche.

Beurrez le pain, puis tartinez avec le pâté de saumon. Recouvrez de tranches de poisson et poivrez.

Roulez avec soin les tranches de pain, que vous envelopperez de papier transparent. Placez-les côte à côte dans une boîte, de façon qu'elles ne se déroulent pas. Mettez au réfrigérateur.

Avant de servir, ôtez le papier transparent et coupez 6 petits rouleaux dans chaque tranche.

Gâteaux de fête En haut à gauche, Coffee and walnut cake (voir p. 84) ; en haut à droite, Strawberry shortcake (voir p. 87) ; au centre, Whisky raisin cake (voir p. 88) ; en bas, Baked cheesecake (voir p. 84).

QUELQUES DOUCEURS

♦ AMOURETTES ♦

Succulentes barquettes de cerises couronnées de crème fraîche.

♦ **Préparation** 1 h 30-1 h 45 ♦ **Cuisson** 10 minutes ♦ **Four** 190° (6) ♦
♦ **Attention :** ne pas oublier de laisser reposer la pâte 1 h ♦

Dans une terrine, disposez la farine en puits. Mettez-y le beurre, le sucre, les jaunes d'œufs et l'arôme de vanille. Travaillez à la fourchette jusqu'à obtention d'une pâte lisse. Pétrissez et laissez reposer 1 heure.

Abaissez finement la pâte sur la planche farinée. Foncez les 14 moules à barquettes préalablement graissés. Recouvrez de papier sulfurisé sur lequel vous jetterez quelques haricots secs. Mettez au four chauffé à 190° (6) 10 minutes, le temps que la pâte prenne couleur. Laissez refroidir dans les moules.

Placez ensuite les cerises dans les barquettes. Dans une casserole, faites chauffer la gelée et l'eau jusqu'à ébullition. Passez au tamis, puis versez sur les cerises.

Fouettez la crème fraîche jusqu'à lui donner une consistance ferme. Placez dans une poche à douille à bout cannelé ou en forme d'étoile, et décorez ainsi vos barquettes.

INGRÉDIENTS
(pour 14 barquettes)

Pour la pâte
100 g de farine
50 g de beurre
50 g de sucre en poudre
2 jaunes d'œufs
quelques gouttes d'arôme de
  vanille

Pour l'appareil
225 g de cerises au sirop,
  égouttées et dénoyautées
4 cuil. à soupe de gelée de
  groseilles
1 cuil. à soupe d'eau
15 cl de crème fraîche

♦ BRIDESMAIDS' BLOSSOMS ♦

*Des biscuits aux amandes accompagnés de crème fouettée
et de fruits frais.*

♦ **Préparation** 30 minutes ♦ **Cuisson** 6-8 minutes ♦ **Four** 200° (6) ♦

Travaillez le beurre et le sucre en pommade. Ajoutez la farine et les amandes. Mélangez bien. Déposez cette préparation en 25 petits tas de pâte sur la plaque graissée du four préalablement chauffé à 200° (6). Aplatissez-les à la spatule.

Mettez au four 6 à 8 minutes, le temps de prendre légèrement couleur. Sortez la plaque et patientez 1 minute avant d'appliquer les biscuits sur le rouleau à pâtisserie pour leur donner forme de

INGRÉDIENTS
(pour 25 biscuits)

Pour la pâte
75 g de beurre
75 g de sucre en poudre
50 g de farine
75 g d'amandes, émondées
  et effilées

Pour l'appareil
27,5 cl de crème fraîche
fruits frais coupés en fines
  lamelles : mandarine/kiwi ou
  framboise/kiwi, etc.

Voir illustration page 113

Pour un mariage (Dans le sens des aiguilles d'une montre et en partant du haut) Chocolate pear gateau (voir p. 114); Rondelles de concombre au maquereau fumé (voir p. 111); Vol-au-vent (voir p. 110); Bridesmaids' blossoms (voir ci-dessus).

tuiles. Sans doute vous faudra-t-il deux rouleaux. Laissez durcir avant de manipuler avec précaution.

Fouettez la crème fraîche jusqu'à lui donner une consistance ferme. Versez-la dans une poche à douille à bout cannelé ou en forme d'étoile. Garnissez chaque biscuit de crème fouettée, puis disposez les quartiers de mandarine accompagnés de lamelles de kiwi, à moins que vous ne préferriez un autre assortiment.

♦ CHOCOLATE PEAR GÂTEAU ♦

Une allure royale!

♦ **Préparation** 50 minutes ♦ **Cuisson** 30-35 minutes ♦ **Four** 190° (6) ♦
♦ **Attention :** prévoir 1 h pour que l'appareil refroidisse ♦

INGRÉDIENTS

Pour la pâte
150 g de farine
25 g de Maïzena
25 g de cacao
6 œufs
225 g de sucre en poudre
75 g de beurre fondu, froid

Pour l'appareil
100 g de chocolat noir
2 jaunes d'œufs
27,5 cl de crème fraîche
2 poires fraîches bien mûres
    ou au sirop
1 cuil. à soupe de jus de citron

Pour la décoration
27,5 cl de crème fraîche
100 g de chocolat noir,
    en copeaux
quelques fraises,
    coupées en morceaux

Voir illustration page 113

Dans une terrine, mélangez la farine, la Maïzena et le cacao. Dans une casserole, fouettez les œufs et le sucre au bain-marie jusqu'à ce qu'ils blanchissent et fassent le ruban. Retirez du feu et battez jusqu'à refroidissement complet.

Ajoutez progressivement la farine en alternant avec le beurre fondu. Mélangez bien afin d'obtenir une pâte homogène. Versez le tout dans deux moules à manqué de 25 cm de diamètre, graissés et garnis de papier sulfurisé, et mettez au four chauffé à 190° (6) 30 à 35 minutes. Démoulez sur grille.

Pendant ce temps, faites fondre le chocolat au bain-marie. Retirez du feu et ajoutez les jaunes d'œufs, l'un après l'autre. Incorporez une cuillerée à soupe de crème fraîche. Fouettez le reste avant de le mélanger délicatement au chocolat. Laissez au frais 1 heure.

Coupez les poires dans le sens de la longueur et arrosez-les de jus de citron. Cette précaution leur évitera de noircir. Avec la moitié du chocolat, recouvrez le dessus de l'un des gâteaux. Disposez deux-tiers des poires par-dessus. Placez le second gâteau sur le tout. Étalez le reste du chocolat sur le dessus. Disposez le restant de lamelles de poire au milieu, en forme de soleil.

Pour la décoration, fouettez la crème fraîche jusqu'à lui donner une consistance très ferme. Versez-en 4 cuillerées à soupe dans une poche à douille. Avec le reste, dessinez une couronne sur le pourtour du gâteau en débordant sur les côtés que vous saupoudrerez de copeaux de chocolat.

Avec la poche à douille, décorez de crème le dessus du gâteau. Agrémentez le tout de quelques morceaux de fraises.

♦ MERINGUES MARGUERITE ♦

Succulentes coquilles de meringues assemblées deux à deux avec une crème aux noix et au chocolat.

♦ **Préparation** 50 minutes ♦ **Cuisson** 4 h-5 h ♦ **Four** 110° (3) ♦

Battez les blancs en neige ferme. Incorporez la moitié du sucre sans cesser de fouetter. Ajoutez le reste du sucre avec une cuillère en métal.

Mettez le tout dans une poche à douille à bout large. Dressez des meringues de 5 cm sur la plaque du four recouverte de papier sulfurisé huilé. Mettez au four chauffé à 110° (3), porte ouverte, durant 4 à 5 heures. Les meringues doivent alors se décoller aisément. Laissez refroidir.

Pour réaliser le glaçage, mettez la confiture et l'eau dans une casserole. Amenez à ébullition sans cesser de remuer. Passez au tamis et gardez au chaud. Fouettez la crème fraîche jusqu'à lui donner une consistance ferme et versez-la dans une poche à douille à bout cannelé ou en forme d'étoile.

Badigeonnez les meringues avec le glaçage à l'abricot, puis trempez-les dans les amandes hachées menu et grillées. Enduisez maintenant le côté plat des meringues d'une épaisse couche de crème afin de les assembler deux à deux. Placez les meringues sur le côté, dans des moules de papier blanc.

Dans une casserole, faites fondre au bain-marie le chocolat et le beurre. Versez dans une poche à douille à bout très fin pour tracer le motif décoratif de votre choix sur le côté des meringues.

INGRÉDIENTS
(pour 20 meringues)
2 cuil. à soupe d'huile pour graisser la plaque du four
3 blancs d'œufs
175 g de sucre en poudre

Pour l'appareil et le glaçage
4 cuil. à soupe de confiture d'abricots
1 1/2 cuil. à soupe d'eau
27,5 cl de crème fraîche
150 g d'amandes grillées, hachées menu
50 g de chocolat noir
8 g de beurre

Voir illustration page 65

INGRÉDIENTS
(pour 12 personnes)
28 à 30 biscuits à la cuiller
100 g de sucre en poudre
8 jaunes d'œufs moyens
15 g de gélatine
2 cuil. à soupe d'eau
675 g de framboises fraîches
70 cl de crème fraîche

♦ RASPBERRY CHARLOTTE CAKE ♦

Un classique... pour le plaisir des gourmands.

♦ **Préparation** 1 h ♦
♦ **Attention :** laissez prendre 6 h au réfrigérateur ♦

Chemisez un moule à charlotte de 1,75 l avec du papier sulfurisé humidifié. Garnissez-en les bords de biscuits à la cuiller, côté bombé vers l'extérieur. Il doit vous rester quelques biscuits. Attention : ne remplissez pas le fond du moule pour le moment.

Dans une grande terrine, travaillez les jaunes d'œufs et le sucre au bain-marie jusqu'à ce qu'ils blanchissent. Placez ensuite la terrine dans une bassine d'eau froide. Pendant ce temps, dissolvez la gélatine dans l'eau. Incorporez-la aux œufs sans cesser de battre tant que le mélange ne sera pas complètement froid. Mettez au frais 30 minutes.

Réservez 225 g de framboises pour la décoration. Passez le reste au tamis afin d'obtenir une purée dont vous prélèverez 40 cl environ. Mettez au réfrigérateur. Versez le reste de purée dans le mélange œufs-gélatine ; travaillez à la cuillère.

Fouettez alors la crème fraîche jusqu'à lui donner une consistance ferme et mélangez-en 55 cl environ à votre préparation. Mettez le restant de crème au réfrigérateur. Puis versez la préparation dans le moule à charlotte. Si elle n'atteint pas la hauteur des biscuits, coupez ces derniers à niveau. Posez ensuite les biscuits restants sur le dessus.

Recouvrez le tout d'aluminium ménager et mettez au réfrigérateur au moins 6 heures. Avant de servir, retirez l'aluminium ménager et passez un couteau tout autour de la charlotte. Démoulez sur le plat de service. Si vous éprouvez quelques difficultés, trempez le moule rapidement, à mi-hauteur, dans de l'eau chaude. Ôtez le papier sulfurisé.

Mettez le restant de crème dans une poche à douille à bout cannelé ou en forme d'étoile et décorez le pourtour, le dessus et les côtés du gâteau. Semez de quelques framboises.

◆ WEDDING RINGS ◆

Une délicieuse alliance de pâte aux amandes, de cerises et de crème fouettée.

◆ **Préparation** 35 minutes ◆ **Cuisson** 25-30 minutes ◆ **Four** 180° (5) ◆

Travaillez le beurre et le sucre en pommade. Ajoutez les œufs, en petite quantité, en battant vigoureusement après chaque addition. Incorporez la farine, les amandes en poudre et l'arôme d'amandes en fouettant soigneusement. Versez le tout dans deux moules carrés de 20 cm, graissés et garnis de papier sulfurisé, et mettez au four chauffé à 180° (5) 25 à 30 minutes, le temps que la pâte lève et prenne couleur. Démoulez et laissez refroidir sur grille.

Sur la planche, découpez ensuite des cercles de 7,5 cm de diamètre. A l'aide d'un emporte-pièce de 2,5 cm, découpez-en le centre de manière à obtenir un anneau.

Dans une casserole, faites alors chauffer la confiture d'abricots et l'eau. Amenez à ébullition sans cesser de tourner. Passez ensuite au tamis et badigeonnez aussitôt l'extérieur de vos anneaux que vous roulerez dans les amandes hachées afin de les recouvrir complètement.

Battez le beurre en pommade. Ajoutez petit à petit le sucre glace, en travaillant énergiquement après chaque addition. Versez le lait ou la crème fleurette en quantité suffisante pour obtenir un mélange pâteux. Agrémentez-le de quelques gouttes de colorant jaune, puis emplissez-en une poche à douille à bout cannelé ou en forme d'étoile. Dessinez des motifs décoratifs sur les bords intérieurs et extérieurs de la partie supérieure des anneaux.

Fouettez la crème fraîche jusqu'à lui donner une consistance ferme. Placez-la dans une poche à douille à bout cannelé ou en forme d'étoile, et dessinez de nouveaux motifs décoratifs sur le dessus des gâteaux. Garnissez les motifs de crème avec les moitiés de cerises ou de grains de raisin.

INGRÉDIENTS
(pour 16 gâteaux)

Pour la pâte
75 g de beurre
75 g de sucre en poudre
2 œufs moyens, battus
50 g de farine avec levure
25 g d'amandes en poudre
1/2 cuil. à café d'arôme d'amandes

Pour le glaçage
100 g de confiture d'abricots
1 1/2 cuil. à café d'eau
75 g d'amandes grillées, hachées
100 g de beurre
175 à 225 g de sucre glace
1 à 2 cuil. à soupe de lait ou de crème fleurette
quelques gouttes de colorant jaune
15 cl de crème fraîche
32 cerises ou grains de raisin, coupés en 2, dénoyautés, épépinés

THÉS ET GOÛTERS FANTAISIE

Pourquoi ne pas organiser des goûters à thème, pour fêter des événements saisonniers ou personnels? En effet, il peut être particulièrement amusant d'adapter aux circonstances la décoration des sandwiches, biscuits et canapés que vous présenterez. Nous vous proposons de célébrer avec nous Hallowe'en, la fête des sorcières, qui, le 31 octobre, donne lieu à de grandes réjouissances, en Grande-Bretagne et aux États-Unis. Vous trouverez aussi des idées pour des goûters à base de glaces, ou encore pour la Saint-Valentin. Nous sommes certains, cependant, que vous imaginerez et mettrez en pratique de nombreuses autres idées.

GOÛTER DE HALLOWE'EN

Pourquoi ne pas faire de cette occasion une fête joyeuse qui réunirait petits et grands?
Envoyez vos invitations sur des bristols noirs, en forme de chapeaux de sorcières ou de chats
et décorez la maison de lanternes de papier, de feuilles d'automne et, bien sûr,
des traditionnelles citrouilles évidées, visages grimaçants dans lesquels brûle une bougie.

♦ ABRACADABRAS ♦

Deux couches de génoise nature et au chocolat, enroulées
ensemble, puis coupées et cuites.

♦ **Préparation** 20 minutes ♦ **Cuisson** 15-20 minutes ♦ **Four** 180° (5) ♦
♦ **Attention :** prévoir 30 minutes de repos au réfrigérateur ♦

INGRÉDIENTS
(pour 15 gâteaux)
100 g de beurre ou de
  margarine, ramolli
100 g de sucre en poudre
1 œuf, battu
225 g de farine, tamisée
1 cuil. à soupe de cacao
50 g de cerises confites,
  hachées

Travaillez le beurre ou la margarine en crème avec le sucre, jusqu'à obtention d'un mélange léger et mousseux. Ajoutez l'œuf. Battez. Puis, versez la farine et mélangez bien. La pâte doit être assez ferme.

Séparez la pâte en deux portions. Dans l'une, vous incorporerez la poudre de cacao et dans l'autre les cerises confites.

Sur une planche farinée, étalez chaque pâte en une abaisse de 23 × 15 cm, puis posez délicatement celle au chocolat sur l'autre. Roulez ensemble, avec soin, enveloppez de papier transparent et mettez 30 minutes au réfrigérateur.

Avec un couteau pointu, égalisez les bords du gâteau, que vous découperez en une quinzaine de tranches.

Posez les tranches sur la plaque beurrée du four préalablement chauffé à 180° (5) et laissez cuire 15 à 20 minutes, jusqu'à ce qu'elles soient légèrement dorées. Faites refroidir sur grille.

♦ DÉLICE DES LUTINS ♦

Servez cette sauce avec des galettes de maïs, des chips et des légumes coupés dans le sens de la longueur (poivrons verts, courgettes ou céleris), ou encore avec des pommes de terre au four.

♦ **Préparation et cuisson** 20 minutes ♦

INGRÉDIENTS
(pour environ 30 cl de sauce)
50 g de tranches de poitrine salée
1 boîte de 300 g environ de maïs en grains
2 1/2 cuil. à soupe de mayonnaise
1 cuil. à café de ciboulette, hachée ou en poudre
poivre gris

Coupez la poitrine salée en fines lanières que vous ferez frire dans un peu d'huile ou de beurre, jusqu'à ce qu'elles deviennent brunes et croustillantes. Puis, essuyez-les avec du papier absorbant et laissez-les refroidir.

Mélangez le maïs avec la mayonnaise, la ciboulette et le poivre gris. Ajoutez la poitrine salée et remuez bien.

Pour servir, placez la sauce dans un bol, autour duquel vous disposerez galettes de maïs, chips et légumes.

♦ SOUPIRS DE FÉES ♦

Ce sont des meringues aux amandes, recouvertes de chocolat.

♦ **Préparation** 25 minutes ♦ **Cuisson** 25-30 minutes ♦ **Four** 110° (3) ♦

INGRÉDIENTS
(pour 20 biscuits)
2 blancs d'œufs
50 g de sucre glace
50 g d'amandes, râpées
50 g d'amandes, concassées
50 g de chocolat noir
15 g de beurre

Battez les blancs d'œufs en neige ferme, mais pas trop tout de même. Ajoutez la moitié du sucre glace, en battant toujours. Puis, à l'aide d'une cuillère métallique, versez en remuant (sans battre) le reste du sucre et les amandes.

Sur la plaque beurrée du four préalablement chauffé à 110° (3), déposez des petits tas, d'environ 6 cm de diamètre, de cette préparation. Laissez cuire 25 à 30 minutes. Les meringues ne doivent pas dorer. Laissez-les ensuite refroidir sur grille.

Dans un bol, faites fondre chocolat et beurre au bain-marie. Recouvrez la base de chaque meringue de chocolat fondu. Laissez sécher.

♦ SORTILÈGES ♦

Ce sont des petits gâteaux épicés, aux noix et aux raisins, surmontés d'une cerise confite.

♦ **Préparation** 20 minutes ♦ **Cuisson** 30 minutes ♦ **Four** 170° (5) ♦

INGRÉDIENTS
(pour 18 gâteaux)
100 g de beurre, ramolli
75 g de sucre roux
1 jaune d'œuf
175 g de farine, tamisée
1/2 cuil. à café de cannelle
1/2 cuil. à café d'épices
  mélangées
75 g de raisins secs, hachés
25 g de noix, concassées
9 cerises confites, coupées en 2

Travaillez le beurre en crème avec le sucre, jusqu'à obtention d'un mélange mousseux et léger. Ajoutez le jaune d'œuf et battez. Ajoutez ensuite farine, épices, raisins secs et noix, et remuez fortement avec une cuillère en bois, pour bien répartir les ingrédients.

Versez cette préparation dans un moule peu profond de 28 × 18 cm environ, que vous aurez pris soin de graisser. Écrasez avec une spatule métallique et dessinez 14 parts. Au centre de chacune, déposez une moitié de cerise confite.

Laissez cuire 30 minutes dans le four préalablement chauffé à 170° (5), jusqu'à ce que le gâteau soit légèrement doré. Découpez-le tant qu'il est encore chaud, mais ne démoulez que lorsqu'il est froid.

♦ BAISERS DE SORCIÈRE ♦

Ces sandwiches doubles sont très colorés, grâce à un mélange de fromage, poivron rouge, jambon et laitue. Vous en modifierez les ingrédients à votre gré. Décorez les baisers de sorcière de petits brins de cresson alénois.

♦ **Préparation** 15 minutes ♦

INGRÉDIENTS
(pour 8 petits sandwiches)
3 tranches de pain de mie
  (blanc)
3 tranches de pain de mie (bis)
30 g de beurre, ramolli
75 g de cheddar, en tranches
  fines
quelques feuilles de laitue,
  ciselées
1 poivron rouge, en tranches
  fines
2 tranches de jambon
1 barquette de cresson alénois

Beurrez le pain. Prenez 1 tranche de pain blanc et 1 tranche de pain bis. Sur chacune, déposez du fromage, un peu de laitue et quelques lanières de poivron rouge. Puis, refermez les sandwiches en alternant les pains (pain bis sur pain blanc et réciproquement). Beurrez le côté extérieur de chacune des tranches du dessus, puis recouvrez-les d'une tranche de jambon et de cresson alénois. Refermez à nouveau les sandwiches en alternant les pains. Tassez-les un peu.

Écroûtez soigneusement les sandwiches que vous couperez en 4.

♦ CHAPEAU DE SORCIÈRE ♦

Donnez une forme cônique à cette génoise, nature ou au chocolat, et recouvrez-la ensuite d'un glaçage noir.

♦ **Préparation** 1 h 30 ♦ **Cuisson** 20-25 minutes ♦ **Four** 180° (5) ♦
♦ **Attention :** si vos moules ronds sont métalliques, chemisez-les ♦

INGRÉDIENTS

Pour le gâteau
175 g de margarine ou de beurre, ramolli
175 g de sucre en poudre
3 œufs
225 g de farine à la levure, tamisée ou 200 g de farine à la levure, tamisée + 25 g de cacao en poudre

Pour l'appareil
100 g de beurre, ramolli
200 g environ de sucre glace
1 à 2 cuil. à soupe de lait ou de crème fleurette

Pour le glaçage
675 g de sucre glace
4 1/2 à 5 cuil. à soupe de sirop de glucose
1 1/2 cuil. à café de glycérine
2 blancs d'œufs, légèrement battus
3 à 4 cuil. à café de jus de citron
colorants alimentaires noir et jaune

Travaillez le beurre ou la margarine en crème avec le sucre, jusqu'à obtention d'un mélange léger et mousseux. Ajoutez les œufs un à un, en alternant chaque fois avec une cuillerée à soupe de farine. Battez bien après chaque œuf. Puis, à l'aide d'une cuillère métallique, ajoutez le reste de la farine (ou de la farine et du cacao) et mélangez bien.

Répartissez la préparation dans deux moules de 15 cm de diamètre et un moule en pyrex d'1/2 l environ, que vous aurez pris soin de graisser. Mettez au four préalablement chauffé à 180° (5) et laissez cuire 20 à 25 minutes. Attention : le gâteau contenu dans le moule en pyrex risque d'être cuit avant les autres.

Puis, sortez les gâteaux du four. Attendez quelques minutes avant de les démouler. Laissez refroidir sur une grille métallique.

Pendant ce temps, vous confectionnerez l'appareil. Pour ce faire, battez le beurre, jusqu'à ce qu'il devienne léger et mousseux. Ajoutez peu à peu le sucre glace en battant fortement. Versez ensuite suffisamment de lait ou de crème fleurette pour que le mélange soit ferme mais onctueux.

Quand les gâteaux sont pratiquement froids, placez l'un des « jumeaux » sur un grand plat à tarte, de façon à ce qu'il y ait assez de place pour le bord du chapeau. Étalez l'appareil, recouvrez du gâteau de même taille, étalez de nouveau l'appareil. Placez ensuite le troisième gâteau (celui du moule en pyrex), au sommet de cet assemblage.

Il est temps, à présent, de donner une forme cônique au chapeau de sorcière. Employez les morceaux que vous ôtez pour monter votre gâteau. Utilisez l'appareil pour coller les différentes parties. Lorsque le cône est terminé, nappez-le entièrement d'une mince couche de la préparation au beurre.

Procédez ensuite à la réalisation du glaçage. Placez le sucre glace dans un bol et faites un puits. Ajoutez-y tous les autres ingrédients, à l'exception des colorants. Il doit y avoir suffisamment de sirop de glucose pour que le mélange soit souple et non collant. Travaillez d'abord avec une fourchette, puis avec les mains, jusqu'à ce que la pâte soit lisse et homogène.

Réservez une petite quantité de ce glaçage (une boule de 4 cm de diamètre) qui vous servira pour la décoration. Mélangez le reste de cette pâte au colorant noir. Pétrissez pour bien répartir la couleur. Travaillez vite, pour ne pas réchauffer la préparation.

Étalez en une épaisse couche, sur la planche saupoudrée de sucre. Réservez un quart de cette pâte pour former la base du chapeau. Appliquez le reste sur le cône et mouillez pour souder les bords. Donnez au chapeau un aspect aussi lisse que possible.

Formez ensuite le bord du chapeau, dont vous encerclerez le cône. Soudez avec soin à la base.

Mélangez quelques gouttes de colorant jaune à la boule que vous avez gardée et pétrissez bien. Étalez-la en une couche épaisse et découpez en forme d'étoile et de croissant de lune. Humectez ces deux appliques pour qu'elles adhèrent au chapeau.

Pour servir, coupez le chapeau en deux dans le sens de la hauteur et divisez chaque moitié en 6 à 8 tranches.

INGRÉDIENTS
(pour 15 baguettes)
65 g de farine, tamisée
1 pincée de sel
1 pincée de poivre de Cayenne
50 g de parmesan, râpé
50 g de beurre, ramolli
25 g de cheddar bien fait, râpé
1 jaune d'œuf, battu
1 à 2 belles carottes
50 g de fromage frais

♦ BAGUETTES MAGIQUES ♦

Ce sont de longs biscuits au fromage, tartinés de fromage frais et décorés d'une étoile taillée dans une rondelle de carotte.

♦ **Préparation** 30 minutes ♦ **Cuisson** 15-20 minutes ♦ **Four** 170º (5) ♦

Dans une terrine, mélangez farine, sel, poivre de Cayenne et parmesan. Incorporez le beurre. La préparation doit être pâteuse. Ajoutez alors le cheddar râpé, puis le jaune d'œuf. Mélangez avec une fourchette, pour obtenir une pâte ferme. Cependant, si elle est trop ferme, ajoutez un peu d'eau froide.

Sur une planche farinée, étalez ensuite en une couche fine et découpez des bâtonnets de 10 cm de long et de 1 cm de large. Placez-les avec soin sur la plaque beurrée du four préalablement chauffé à 170º (5). Faites cuire 15 à 20 minutes, jusqu'à ce qu'ils deviennent dorés et croustillants. Puis, sortez-les du four et laissez-les refroidir quelques instants sur la plaque, avant de les déposer sur une grille métallique.

Pelez les carottes et coupez-les en rondelles très fines, que vous taillerez en étoiles. Tartinez la moitié des biscuits de fromage frais et faites dépasser l'étoile à une extrémité. Sur les biscuits restants, déposez une noisette de fromage frais, à l'emplacement de l'étoile. Réunissez les biscuits par deux. L'étoile doit rester en place.

GOÛTERS A BASE DE GLACES

En été, quoi de plus agréable que de se régaler de glaces? Vous trouverez ici des recettes originales qui vous permettront de varier les plaisirs.

♦ GÂTEAU GLACÉ-BRÛLANT ♦

Ce goûter est un véritable dessert de fête, fort apprécié lors de grandes occasions. Pourtant, il serait dommage de ne pas inclure un tel délice dans nos goûters glacés.

♦ **Préparation** 30 minutes ♦ **Cuisson** 20-35 minutes ♦ **Four** 180° (5) et 230° (7) ♦

INGRÉDIENTS

Pour le gâteau
1 l à 1 1/2 l de glace à la vanille, légèrement ramollie
4 œufs
1 cuil. à café d'arôme de vanille
175 g de sucre en poudre
75 g de farine, tamisée
1 cuil. à café de levure
1 pincée de sel
225 g de confiture d'abricots ou de framboises

Pour la meringue
6 blancs d'œufs
1 pincée de sel
175 g de sucre en poudre

Placez la glace dans de l'aluminium ménager, et façonnez-la pour qu'elle épouse un moule de 20 cm de diamètre. Recouvrez d'aluminium ménager et mettez dans le compartiment à glace du réfrigérateur.

Battez les jaunes d'œufs et l'arôme de vanille dans une terrine, pour obtenir un mélange épais et crémeux. Réservez 4 cuillerées à soupe de sucre et versez le reste dans la préparation. Battez vigoureusement.

Montez les blancs d'œufs en neige ferme. Ajoutez le sucre restant et battez bien. Avec une cuillère en métal, incorporez les blancs aux jaunes d'œufs. Le mélange doit être homogène.

Tout en remuant, ajoutez la farine, la levure et le sel. Versez la pâte dans deux moules de 20 cm de diamètre, que vous aurez pris soin de graisser et de saupoudrer de farine et de sucre. Placez dans le four préalablement chauffé à 180° (5) et laissez cuire pendant 20 à 35 minutes, jusqu'à ce que la lame d'un couteau ressorte propre. Sortez du four et démoulez avec soin sur une grille métallique. Lorsque les gâteaux sont froids, tapissez-en un de confiture et placez l'autre par-dessus.

Faites monter la température du four à 230° (7), tandis que vous confectionnez la meringue. Montez les blancs d'œufs en neige avec le sel. Ils doivent devenir très fermes. Ajoutez le sucre petit à petit, sans cesser de battre, jusqu'à ce que la meringue soit ferme et brillante.

Mettez le gâteau sur la plaque du four. Après avoir retiré l'aluminium ménager, posez la glace sur le gâteau, enrobez le tout de meringue.

Enfournez la plaque à mi-hauteur et laissez cuire 3 à 4 minutes, jusqu'à ce que la meringue commence à dorer. Servez aussitôt.

◆ GLACE AU CASSIS
AU COULIS DE FRAMBOISES ◆

Pour varier, vous pouvez, suivant la même recette, réaliser
un coulis de fraises, à déguster avec une glace à la vanille.

◆ **Préparation** 25 minutes + 2 h 30-3 h au réfrigérateur ◆
◆ **Attention :** pour cette recette, vous aurez besoin d'un mixer ◆

Avec une cuillère en bois, écrasez les cassis dans une passoire métallique. Jetez les peaux et conservez le jus, auquel vous ajouterez le sucre glace et le jus de citron. Mélangez bien. Fouettez la crème fraîche, jusqu'à ce qu'elle soit épaisse, puis incorporez-la à la préparation, à l'aide d'une cuillère en métal.

Versez la crème au cassis dans de grands récipients, jusqu'à 1 cm du bord maximum. Couvrez et placez 2 h 30 à 3 heures au congélateur ou dans le compartiment à glace du réfrigérateur. La préparation doit durcir.

Pour le coulis, passez les fruits, le jus de citron et le sucre au mixer. Recouvrez-en les boules de glace.

INGRÉDIENTS
(pour 4 verres)
4 cuil. à soupe de chocolat
   en poudre
4 cuil. à soupe d'eau chaude
60 cl environ de lait
15 cl de glace à la vanille
cubes de glace ou glace pilée

◆ CHOCOLAT GLACÉ ◆

◆ **Préparation** 4 minutes ◆
◆ **Attention :** pour cette recette, utilisez un shaker ou une centrifugeuse ◆

Faites dissoudre la poudre de chocolat dans l'eau chaude. Mélangez avec le lait et la glace dans un shaker ou une centrifugeuse. Versez dans des verres, sur des glaçons ou de la glace pilée.

INGRÉDIENTS
(pour 6 meringues)

Pour les meringues
2 blancs d'œufs
1 pincée de sel
100 g de sucre en poudre
1 cuil. à soupe d'huile,
   pour graisser le papier

Pour la glace
75 ml environ de glace vanille-
   fraise ou vanille-framboise
une douzaine de pistaches,
   concassées

◆ MERINGUES GLACÉES ◆

Si vous le souhaitez, vous pouvez ajouter un peu de colorant
alimentaire aux blancs d'œufs, durant la préparation
des meringues, ou encore choisir d'autres parfums de glace.

◆ **Préparation** 15 minutes ◆ **Cuisson** 4 h-5 h ◆ **Four** 110° (3) ◆

Battez les blancs d'œufs en neige très ferme avec le sel. Ajoutez la moitié du sucre et battez bien. Puis, versez le reste du sucre et mélangez doucement avec une cuillère en métal. Déposez 12 petits tas sur la plaque beurrée et chemisée du four préalablement chauffé à 110° (3).

Laissez-les sécher 4 à 5 heures, puis placez-les dans un récipient hermétique.

Au moment de servir, réunissez deux meringues par une ou plusieurs boules de glace. Présentez-les dans des caissettes de papier et saupoudrez-les de pistaches concassées.

◆ GÂTEAU GLACÉ ◆

Ce gâteau, fourré de confiture et de glace, est décoré
de crème Chantilly et de fruits.

◆ **Préparation** 1 h ◆ **Cuisson** 20-25 minutes ◆ **Four** 180° (5) ◆

Travaillez le beurre ou la margarine en crème avec le sucre, jusqu'à obtention d'un mélange léger et mousseux. Ajoutez petit à petit les œufs, en battant bien et en alternant chaque fois avec 1 cuillerée à soupe de farine. Battez vigoureusement.

Avec une cuillère en métal, incorporez le reste de la farine. Enfin, versez l'eau bouillante et malaxez le tout. Versez la préparation dans deux moules de 18 cm de diamètre, graissés et chemisés, que vous placerez dans le four préalablement chauffé à 180° (5). Laissez cuire 20 à 25 minutes, jusqu'à ce que les gâteaux soient légèrement dorés et souples au toucher.

Sortez-les du four et démoulez-les sur une grille métallique. Lorsqu'ils sont froids, placez-en un sur le plat de service et tartinez-le de confiture, puis de tranches de glace. Tartinez la base de l'autre gâteau de confiture et posez-le sur le premier.

Fouettez la crème fraîche, jusqu'à ce qu'elle soit ferme et remplissez-en une poche à douille. Dessinez rapidement une décoration sur le dessus du gâteau, que vous agrémenterez de framboises fraîches. Servez sans attendre.

INGRÉDIENTS

Pour le gâteau
100 g de beurre ou de
  margarine, ramolli
100 g de sucre en poudre
2 œufs, battus
100 g de farine à la levure,
  tamisée
1 cuil. à soupe d'eau bouillante

Pour la garniture
3 à 4 cuil. à soupe de confiture
  de framboises
15 cl de crème fraîche épaisse
30 cl environ de glace
  à la vanille
une vingtaine de framboises

◆ RAFRAÎCHISSEMENT FRAISE ET CITRON VERT ◆

◆ **Préparation** 10 minutes ◆

Dans chaque verre, versez 1 cuillerée à soupe de cordial, puis remplissez d'eau gazeuse, en laissant suffisamment de place pour les fruits et la glace que vous ajouterez ensuite. Servez immédiatement.

INGRÉDIENTS
(pour 6 verres)
6 cuil. à soupe de cordial
  au citron vert
2 l d'eau gazeuse, fraîche
30 fraises environ
  (selon la taille)
30 cl environ de glace à la
  vanille, coupée en cubes

GOÛTER DE LA SAINT-VALENTIN

Le goûter de la Saint-Valentin peut se prendre à deux ou à plusieurs, en compagnie d'amis ou de parents. Vous enverrez vos invitations sur des cartes rouges et blanches, en forme de cœur. Au jour dit, n'oubliez pas de disposer sur la table un bouquet de roses écarlates. Enfin, prévoyez des œillets blancs pour orner la boutonnière de ces messieurs.
Les recettes qui suivent s'adapteront admirablement à l'atmosphère romantique de la fête, et lui ajouteront une indispensable note d'exotisme. Les pâtissières émérites auront bien sûr recours à quelques variantes, au gré de leur imagination.

INGRÉDIENTS
(pour 12 canapés)
3 tranches de pain de mie
   complet
25 g de beurre, ramolli
100 g de saumon fumé
50 g de fromage frais
1/2 cuil. à café de jus de citron
sel et poivre
1 morceau de concombre de
   2,5 à 4 cm, pelé
1 barquette de cresson alénois,
   pour la décoration

Voir illustration page 128

♦ CANAPÉS D'AMOUR ♦

Ce sont des petits toasts nappés d'une préparation à base de saumon, fromage frais et concombre. Vous pouvez aussi couper le saumon en forme de cœur et le présenter sur du pain.

♦ **Préparation** 20 minutes ♦
♦ **Attention :** pour cette recette, vous aurez besoin d'un mixer ♦

Faites griller le pain. Beurrez-le, écroûtez-le.

Passez saumon, fromage frais, jus de citron, sel et poivre au mixer. Puis, coupez le concombre en petits dés que vous ajouterez au mélange.

Découpez le pain, à l'aide d'un emporte-pièce en forme de cœur, avant de le tartiner de la pâte au saumon. Décorez de brins de cresson alénois.

INGRÉDIENTS
(pour 16 petits fours)
85 g de poudre de cacao
25 g de noix, concassées
75 g d'amandes en poudre
50 g de sucre glace
quelques gouttes d'arôme de
   vanille
1 œuf
8 cerises confites, coupées en 2

♦ CHOCOLATE VALENTINES ♦

Il s'agit de délicieux petits fours au chocolat.

♦ **Préparation** 15 minutes ♦ **Cuisson** 15 minutes ♦ **Four** 130° (4) ♦

Dans une terrine, mélangez poudre de cacao, noix, amandes en poudre, sucre glace et arôme de vanille. Battez le blanc d'œuf en neige ferme, puis ajoutez-en suffisamment aux autres ingrédients pour obtenir une pâte consistante.

Après vous être enduit les mains de farine, pétrissez la préparation, jusqu'à ce qu'elle soit onctueuse. Ensuite, faites-en 16 petites boules que vous roulerez entre vos mains. Dans chacune, faites un petit trou, dans lequel vous enfoncerez une moitié de cerise confite, après avoir doré la pâte au jaune d'œuf.

Disposez sur la plaque graissée du four préalablement chauffé à 130° (4) et laissez cuire environ 15 minutes. Sortez du four et laissez refroidir sur une grille métallique.

◆ CŒURS AU FROMAGE FRAIS ◆

Petits sandwiches au fromage frais, décorés de petits cœurs de poivron rouge.

◆ **Préparation** 25 minutes ◆

INGRÉDIENTS
(pour 6 ou 8 petits sandwiches)
4 tranches de pain de mie
1 poivron rouge
50 g de fromage frais
sel et poivre gris
35 g de beurre, ramolli

Voir illustration page 128

Coupez les deux tiers du poivron en petits morceaux que vous mélangerez au fromage frais. Assaisonnez.

Beurrez le pain et, après avoir réservé une petite quantité de la préparation pour la décoration, tartinez le reste.

Refermez les sandwiches, écroûtez-les et découpez 3 ou 4 petits cœurs dans chacun. Pour cela, vous pouvez utiliser un emporte-pièce.

A l'aide d'un couteau aiguisé, taillez des petits cœurs dans le reste du poivron rouge. Ils vous serviront pour décorer les sandwiches. Placez le fromage frais restant dans une poche à douille et dessinez sur chaque sandwich un cœur plus grand que celui de poivron rouge.

◆ GÂTEAU DE CUPIDON ◆

Pour réduire les biscuits en miettes, il est recommandé de les enfermer dans un sac en plastique, puis de les écraser au rouleau à pâtisserie.

◆ **Préparation et cuisson** 15 minutes ◆
◆ **Attention :** prévoir 1 h au réfrigérateur ◆

INGRÉDIENTS
(pour 8 portions)
100 g de beurre
50 g de cassonade
2 cuil. à soupe de sirop de glucose
2 cuil. à soupe de café soluble
2 cuil. à café d'eau chaude
225 g de biscuits sablés, émiettés
8 moitiés de noix ou d'amandes

Dans une casserole à feu très doux, faites fondre beurre, cassonade et sirop de glucose. Versez le café soluble dans l'eau chaude et, lorsqu'il est dissous, ajoutez-le au mélange, ainsi que les biscuits. Remuez bien. Versez ensuite dans un moule à manqué de 18 cm de diamètre, préalablement beurré, et lissez le dessus à l'aide d'une spatule métallique.

Disposez les moitiés d'amandes ou de noix en couronne, et enfoncez-les un peu dans le gâteau. Laissez reposer au moins 1 heure au réfrigérateur et découpez en 8 parts avant de démouler.

INGRÉDIENTS
(pour 10 ou 12 nœuds)
65 g de farine, tamisée
50 g de parmesan, râpé
1 pincée de sel
1 pincée de poivre de Cayenne
50 g de beurre, ramolli
25 g de cheddar bien fait, râpé
1 jaune d'œuf, battu
1 ou 2 cuil. à café de lait

Voir illustration ci-contre

♦ LOVERS' KNOTS ♦

Ces «nœuds» se confectionnent à peu près de la même façon que les «baguettes magiques» (voir page 122) à la différence que, ici, la pâte sera plus souple, de façon à pouvoir être roulée et nouée.

♦ **Préparation** 15 minutes ♦ **Cuisson** 15-20 minutes ♦ **Four** 170° (5) ♦

Dans une terrine, mélangez la farine et le parmesan, assaisonnez. Incorporez le beurre, jusqu'à ce que le mélange ait une consistance pâteuse, puis ajoutez le cheddar.

Liez la préparation avec le jaune d'œuf, pour obtenir une pâte souple. Versez ensuite juste assez de lait pour la rendre malléable. Malaxez intimement.

Divisez maintenant cette pâte en 10 à 12 morceaux. Avec vos mains farinées, vous les roulerez sur la planche, farinée elle aussi. Chaque portion de pâte doit prendre la forme d'une saucisse fine, d'environ 25,5 cm de long, que vous nouerez avec précaution avant de la poser sur la plaque graissée du four préalablement chauffé à 170° (5).

Faites cuire 15 à 20 minutes, jusqu'à ce que les nœuds prennent couleur et aient un aspect croustillant. Sortez-les alors du four et laissez-les 2 à 3 minutes sur la plaque, avant de les mettre à refroidir sur une grille métallique.

INGRÉDIENTS
(pour 10 meringues)

Pour les meringues
4 blancs d'œufs
1 pincée de sel
225 g de sucre en poudre
100 g de noisettes ou
    d'amandes, concassées

Pour l'appareil
50 g d'ananas écrasé, égoutté
1 à 2 cuil. à soupe de cognac
15 cl de crème fraîche épaisse

♦ MERINGUES KISSES ♦

Ce sont des petites meringues en forme de cœur, remplies d'ananas au cognac et recouvertes de crème fouettée.

♦ **Préparation** 30 minutes ♦ **Cuisson** 30 minutes ♦ **Four** 150° (4) ♦

Faites macérer l'ananas dans le cognac pendant 1 heure.

Montez les blancs d'œufs en neige avec le sel, ajoutez la moitié du sucre et continuez à battre durant 1 à 2 minutes. Ajoutez ensuite le sucre restant et les noisettes ou amandes, et remuez avec une cuillère en métal. Remplissez une poche à douille, garnie d'un embout étoilé, de cette préparation.

Goûter de la Saint-Valentin (Dans le sens des aiguilles d'une montre et en commençant en haut à droite) Lovers' knots (voir ci-dessus); Meringue kisses (voir ci-dessus); Rêve de Vénus (voir p. 130); Canapés d'amour (voir p. 126). Cœurs au fromage frais (voir p. 127).

Sur la plaque chemisée du four préalablement chauffé à 150° (4), dessinez 10 cœurs d'environ 6,5 cm de large et 5 cm de long. Montez les bords qui doivent être nettement plus hauts que le centre.

Faites cuire 30 minutes, jusqu'à ce que les meringues prennent une couleur crème et puissent être facilement soulevées de la plaque. Sortez du four et laissez sécher sur la plaque même.

Égouttez l'ananas, conservez le jus et le cognac. Fouettez la crème fraîche qui doit devenir ferme. Puis, versez très progressivement le mélange de jus et de cognac. Attention, la crème doit rester ferme. Ajoutez l'ananas et mélangez bien.

Déposez quelques cuillerées de l'appareil au centre des cœurs et, si vous le souhaitez, décorez de morceaux d'ananas. Si vous avez choisi le kiwi, pelez le fruit et coupez-le en tranches. Vous taillerez ensuite chaque tranche en 3 portions, que vous disposerez sur les cœurs.

Pour la décoration
petits morceaux d'ananas ou tranches de kiwi (facultatif)

Voir illustration page précédente

◆ SWEETHEARTS ◆

Tartelettes garnies de confiture de griottes, couronnées de crème parfumée au kirsch et saupoudrées de chocolat râpé.

◆ **Préparation** 25 minutes ◆ **Cuisson** 15-20 minutes ◆ **Four** 200° (6) ◆
◆ **Attention :** prévoir 25 minutes pour confectionner la pâte ◆

Étalez finement la pâte sur une planche à pâtisserie farinée puis découpez, à l'aide d'un emporte-pièce de 9 cm de diamètre, les abaisses destinées à remplir les douze petits moules à tarte, préalablement beurrés. Recouvrez ensuite les fonds de papier sulfurisé, sur lequel vous poserez une poignée de haricots secs. Faites cuire au four chauffé à 200° (6) 15 à 20 minutes. La pâte doit prendre couleur. Sortez. Laissez refroidir.

Pendant ce temps, fouettez la crème fraîche jusqu'à ce qu'elle devienne ferme, puis ajoutez le kirsch très progressivement, pour obtenir un mélange homogène. Incorporez ensuite le sucre et le chocolat.

Garnissez alors chaque fond avec la confiture, sur laquelle vous disposerez la crème. Saupoudrez l'ensemble avec le chocolat que vous aurez réservé.

INGRÉDIENTS
(pour 12 tartelettes)
100 g de farine pour réaliser une pâte sablée comme indiqué page 138
3 à 4 cuil. à soupe de confiture de griottes
15 cl de crème fraîche épaisse
1 cuil. à soupe de kirsch
50 g de sucre en poudre
50 g de chocolat noir, râpé + 1 à 2 cuil. à soupe pour la décoration

Le thé à l'anglaise (Dans le sens des aiguilles d'une montre et en partant de la gauche) Victoria sponge (voir p. 82); Teacakes (voir p. 51); Sandwiches au fromage et au concombre (voir p. 38); Sandwiches aux sardines et à la tomate (voir p. 41); Macarons (voir p. 56).

INGRÉDIENTS
(pour 15 à 20 croûtes)

Pour les croûtes

100 g de farine pour réaliser
    une pâte feuilletée 6 tours
    comme indiqué page 137
1 œuf, pour dorer les croûtes

Pour l'appareil

75 g de fromage frais
2 branches de céleri,
    coupées fin
100 g de blanc de poulet,
    en morceaux
sel et poivre gris
1 pincée de poivre de Cayenne

◆ VOL-AU-VENT DE LA SAINT-VALENTIN ◆

Nous les avons remplis d'une sauce au fromage frais, au céleri et au blanc de poulet. Vous donnerez aux croûtes la forme et la taille de votre choix. Décorez de brins de cresson ou de persil.

◆ **Préparation** 30 minutes ◆ **Cuisson** 10-12 minutes ◆ **Four** 230° (7) ◆
◆ **Attention :** prévoir 4 h pour confectionner la pâte ◆

Faites une pâte feuilletée 6 tours et laissez-la reposer 30 minutes au réfrigérateur.

Étalez-la finement sur une planche farinée et, à l'aide d'un emporte-pièce préalablement trempé dans la farine, découpez 15 à 20 abaisses, que vous placerez sur la plaque graissée du four chauffé à 230° (7). Dorez les croûtes à l'œuf. Ensuite, prenez un emporte-pièce de diamètre inférieur au premier et, après l'avoir trempé dans la farine, enfoncez-le au centre de chaque abaisse, à mi-hauteur de la pâte.

Enfournez et faites cuire 10 à 12 minutes, jusqu'à ce que les croûtes prennent couleur. Sortez et laissez refroidir sur une grille métallique. Puis, avec la pointe d'un couteau, retirez avec soin les chapeaux et creusez l'intérieur des vol-au-vent.

Battez le fromage frais, jusqu'à ce qu'il devienne mousseux, et ajoutez le céleri et le poulet. Assaisonnez.

A l'aide d'une cuillère, garnissez avec soin les croûtes de cette préparation.

INGRÉDIENTS
(pour 8 personnes)

Pour la pâte

2 œufs
100 g de sucre en poudre
100 g de farine, tamisée
2 cuil. à soupe d'eau chaude

Pour l'appareil

1 boîte de 400 g environ
    d'ananas au sirop, en
    tranches
3 cuil. à soupe de cherry, doux
    ou demi-sec

◆ RÊVE DE VÉNUS ◆

Ce gâteau léger est fourré de crème fraîche et d'ananas. Toutefois, si vous le désirez, vous pouvez le réaliser avec d'autres fruits, tels que raisin, mandarines, oranges, pêches, fraises et framboises. Servez-le tel quel, ou coupé en tranches que vous décorerez individuellement, avec du kiwi, par exemple.

◆ **Préparation** 1 h ◆ **Cuisson** 12-15 minutes ◆ **Four** 220° (7) ◆

Battez les œufs et le sucre dans une terrine au bain-marie, jusqu'à ce que le mélange épaississe et fasse le ruban. Cette opération doit prendre 6 à 8 minutes.

Puis, éloignez de la source de chaleur, ajoutez la farine et l'eau chaude, en remuant doucement avec une cuillère en métal.

Versez la préparation dans un moule de 18 × 28 cm, graissé et garni de papier sulfurisé. Placez à four chaud (220°, 7). Faites cuire 12 à 15 minutes, jusqu'à ce que la pâte soit ferme et légèrement dorée. Sortez du four, démoulez et laissez refroidir sur une grille métallique. Retirez le papier sulfurisé.

Égalisez au couteau les bords du gâteau que vous couperez en deux, horizontalement. Mélangez le jus d'ananas avec le cherry et nappez de ce sirop les deux moitiés du gâteau.

Fouettez la crème fraîche jusqu'à ce qu'elle soit ferme. Réservez-en 3 cuillerées à soupe et, avec le reste, emplissez une poche à douille (embout étoilé). Sur la base du gâteau, dessinez des rubans de crème. Attention, ne videz pas complètement votre poche à douille, le reste de crème vous servira pour la décoration.

Coupez les tranches d'ananas en 2 et disposez-en quelques-unes sur la crème. Puis, recouvrez avec la seconde tranche de gâteau, que vous napperez des 3 cuillerées à soupe de crème fouettée. Décorez à l'aide des moitiés de tranches d'ananas qui vous restent, que vous intercalerez de tranches de kiwi et de dessins faits à la poche à douille. Terminez avec les grains de raisin que vous placerez en couronne sur les bords.

Si vous souhaitez présenter des portions individuelles, après avoir coupé le gâteau en 2 horizontalement, faites 8 parts de chaque moitié et procédez exactement comme ci-dessus.

30 cl environ de crème fraîche épaisse
2 kiwis, pelés et coupés en tranches
8 grains de raisin noir, coupés en 2 et épépinés (facultatif)

Voir illustration page 128

CONFITURES, GELÉES ET MARMELADES

Les confitures « maison » sont, à l'heure du thé, exquises avec des scones, des toasts ou même du pain. Elles n'ont, à vrai dire, pas grand rapport avec les produits que l'on trouve dans le commerce et permettent d'utiliser de façon idéale les fruits du jardin. Grâce aux recettes contenues dans ce chapitre, vous serez en mesure de réaliser les classiques des confitures, comme les plus originales des formules, à base de pêches ou d'ananas.

Pour réussir les confitures, il convient néanmoins de respecter scrupuleusement quelques règles d'or. Évitez ainsi les fruits verts ou trop mûrs. Le sucre ensuite. En morceaux? En poudre? Peu importe, pourvu qu'il ne s'agisse pas de sucre roux, qui altérerait la saveur des fruits. Choisissez d'autre part un récipient, de préférence en acier inoxydable, suffisamment grand pour que fruits et sucre ne le remplissent qu'à moitié. Enfin, veillez à relaver à l'eau chaude les pots, même propres. Séchez-les soigneusement et versez-y aussitôt vos confitures. Pour fermer vos bocaux : posez le papier cellophane sur les bords propres. Humectez le dessus avec une petite éponge et tendez bien le papier. Maintenez-le avec un élastique. N'oubliez pas de décorer les pots à l'aide de jolies étiquettes.

INGRÉDIENTS
(pour 4,5 kg)
1,8 kg d'abricots, dénoyautés et
  en tranches
6 cuil. à soupe de jus de citron
28 cl d'eau
2,7 kg de sucre à confitures
450 g d'amandes, coupées en 2
1 bouteille de gélifiant
  (pectine)

♦ CONFITURE D'ABRICOTS AUX AMANDES ♦

Délicieuse avec des petits pains chauds, des croissants ou des toasts.

♦ **Préparation et cuisson** 30 minutes ♦

Dans la bassine à confitures, mettez abricots, jus de citron et eau. Couvrez, portez à ébullition et laissez mijoter pendant 15 à 20 minutes, jusqu'à ce que les fruits soient tendres.

Réduisez le feu, ajoutez sucre et amandes et remuez jusqu'à complète dissolution du sucre. Portez à nouveau à ébullition et laissez bouillir 1 minute, en remuant de temps en temps.

Retirez la bassine du feu et ajoutez le gélifiant. Mélangez bien. Laissez refroidir 10 minutes, puis versez dans les pots propres, secs et chauds. Couvrez d'une feuille de cellophane fixée par un élastique.

◆ CONFITURE DE MÛRES ET DE POMMES ◆

Profitez d'une belle journée d'automne pour faire la cueillette des mûres sauvages. Au retour, vous aurez plaisir à réaliser cette confiture qui régalera petits et grands. Attention, n'utilisez que les fruits parfaitement sains.

◆ **Préparation et cuisson** 1 h ◆

INGRÉDIENTS
(pour 2,7 kg)
900 g de pommes, pesées une fois pelées et sans le cœur
28 cl d'eau
900 g de mûres, pesées équeutées
42,5 cl de sucre à confitures

Pelez les pommes, retirez le cœur, et coupez-les en 4. Placez-les dans la bassine avec l'eau. Portez à ébullition et laissez frémir pendant 15 minutes, jusqu'à ce que les fruits soient tendres. Ajoutez les mûres et laissez mijoter 10 à 15 minutes supplémentaires.

Retirez du feu et versez le sucre. Remuez bien. Faites cuire à feu doux 15 à 20 minutes, sans cesser de remuer, jusqu'à dissolution du sucre. Portez de nouveau à ébullition et laissez cuire à gros bouillons 10 à 15 minutes, en remuant de temps en temps. Vérifiez la cuisson : quelques gouttes de sirop versées sur une assiette froide doivent se figer rapidement.

Retirez alors du feu, et laissez refroidir 5 à 10 minutes. Versez la confiture dans des bocaux propres, secs et chauds. Couvrez d'une feuille de cellophane fixée par un élastique.

◆ LEMON CURD ◆

Typiquement anglaise, cette pâte au citron est l'accompagnement idéal des muffins et des toasts. Elle peut également servir d'appareil pour les tartes au citron (voir recette page 66). Au réfrigérateur, elle se conserve 3 à 4 mois. Hors du réfrigérateur, il faut la consommer dans les 3 ou 4 jours.

◆ **Préparation et cuisson** 30 minutes ◆

INGRÉDIENTS
(pour 675 g)
100 g de beurre
zestes et jus de 4 citrons
450 g de sucre
4 blancs d'œufs, légèrement battus

Mettez le beurre, les zestes et le jus de citron et le sucre dans une terrine. Incorporez progressivement les œufs, sans cesser de battre. Placez la terrine au bain-marie et remuez fréquemment le mélange, jusqu'à ce qu'il épaississe.

Laissez la pâte refroidir, puis versez-la dans des bocaux propres et secs. Couvrez d'une feuille de cellophane fixée par un élastique. Étiquetez les pots et conservez-les au réfrigérateur.

♦ MINCEMEAT ♦

Ce mélange de raisins secs et de fruits confits doit être réalisé au moins un mois avant consommation. Vous pourrez en garnir la mincemeat tart (voir recette page 78).

♦ **Préparation** 20 minutes ♦

INGRÉDIENTS
(pour 2 kg)
450 g de graisse de rognons, en petits morceaux
450 g de raisins de Corinthe
450 g de pommes, pelées et coupées en morceaux (sans le cœur)
450 g de sucre en poudre
675 g de raisins de Smyrne
100 g d'écorces confites
zestes et jus de 2 citrons
15 cl de cognac
1 cuil. à café de noix muscade, râpée
1/2 cuil. à café de clous de girofle, moulus
1/2 cuil. à café de cannelle

Mélangez tous les ingrédients. Malaxez intimement. Mettez dans des bocaux propres, secs et chauds. Tassez. Couvrez aussi hermétiquement que possible d'une feuille de cellophane fixée par un élastique.

Conservez au moins un mois dans un endroit sec et frais, avant de consommer, pour que le mincemeat prenne toute sa saveur.

♦ CONFITURE A L'ANANAS ET A LA PÊCHE ♦

A réaliser en toute saison, avec des pêches séchées et de l'ananas en boîte.

♦ **Préparation et cuisson** 1 h ♦
♦ **Attention:** les fruits doivent macérer 24 h. ♦

INGRÉDIENTS
(pour 2,5 kg)
1,200 kg de pêches séchées
4 l d'eau
1 boîte de 430 g environ d'ananas en morceaux
zestes et jus de 2 citrons
2,7 kg de sucre à confitures

Mettez les pêches dans une bassine à confiture, couvrez-les d'eau et laissez-les macérer environ 24 heures.

Le lendemain, couvrez la bassine et faites cuire à feu doux, pendant 20 à 25 minutes, jusqu'à ce que les fruits soient tendres. Égouttez-les à l'aide d'une écumoire, coupez-les en petits morceaux et remettez-les dans le jus.

Ajoutez les ananas en boîte et leur sirop, les zestes et le jus de citron et le sucre. Remuez bien. Portez à ébullition et faites bouillir franchement durant 20 minutes.

Laissez refroidir 5 à 10 minutes dans la bassine, puis versez dans des bocaux propres, secs et chauds. Couvrez d'une feuille de cellophane fixée par un élastique.

◆ CONFITURE DE FRAMBOISES ◆

Les framboises ne contiennent guère de pectine. C'est pourquoi on leur ajoute des groseilles rouges qui non seulement aident la confiture à prendre, mais lui confèrent une délicieuse saveur.

◆ **Préparation et cuisson** 55 minutes ◆

INGRÉDIENTS
(pour 3,5 kg)
1 kg à 1,5 kg de groseilles rouges, équeutées
1,8 kg de framboises, équeutées
1,8 kg de sucre à confitures

Il faut, tout d'abord, extraire le jus des groseilles rouges. Pour ce faire, placez les fruits dans une casserole, à feu doux. Portez à ébullition. Le jus ne va pas tarder à s'écouler librement. Versez le tout (fruits et jus) dans un linge tendu et laissez filtrer lentement. Pressez les groseilles.

Mettez l'eau et les framboises dans une bassine à confiture et portez doucement à ébullition. Laissez frémir pendant 15 minutes, en remuant fréquemment.

Ajoutez le sucre et le jus de groseille et faites mijoter durant 20 à 30 minutes. Vérifiez alors la cuisson : quelques gouttes de sirop versées sur une assiette froide doivent se figer rapidement. Retirez du feu et écumez la mousse qui pourrait se former.

Lorsque la confiture est prête, versez-la dans des bocaux propres, secs et chauds. Couvrez d'une feuille de cellophane fixée par un élastique.

◆ CONFITURE DE FRAISES ◆

Choisir des fruits petits, fermes mais mûrs (pas trop cependant).

◆ **Préparation et cuisson** 20 minutes ◆
◆ **Attention :** prévoir 1 h pour faire macérer les fruits ◆

INGRÉDIENTS
(pour 4,5 kg)
2 kg de fraises, équeutées
2,7 kg de sucre à confitures
6 cuil. à soupe de jus de citron
25 g de beurre
1 bouteille de gélifiant (pectine)

Mettez les fraises, le sucre et le jus de citron dans une bassine à confiture. Laissez macérer 1 heure, en remuant de temps en temps.

Puis, faites cuire à feu doux, jusqu'à dissolution du sucre. Ajoutez alors le beurre, destiné à limiter la formation de mousse. Portez à ébullition et faites bouillir franchement pendant 4 à 5 minutes. Retirez du feu et ajoutez le gélifiant. Remuez bien.

Laissez refroidir 30 minutes. Remuez doucement et versez dans des bocaux propres, secs et chauds. Couvrez d'une feuille de cellophane fixée par un élastique.

PÂTES

Vous trouverez ici les diverses bases indispensables à la réalisation de maints gâteaux: pâte à choux, pâtes sablée, brisée et feuilletée. Ces deux dernières conviennent aussi bien aux tartes sucrées qu'aux tartes salées.

En matière de pâtisserie, il importe de prendre certaines précautions. La pâte à choux se travaille à chaud. Il n'en va pas de même pour la pâte à tarte qui, pour plus de légèreté, a besoin d'être aérée et doit être travaillée à froid. Pour ce faire, utilisez de préférence un couteau afin de fractionner la matière grasse. Veillez à respecter les proportions indiquées. N'ajoutez pas d'eau inutilement. Votre pâte deviendrait cassante après cuisson. Enfin, laissez reposer la pâte 15 minutes minimum dans un endroit frais. Pour plus de détails, reportez-vous pages 21-23.

INGRÉDIENTS
(pour 450 g de pâte)
50 g de beurre
22,5 cl d'eau
une bonne pincée de sel
100 g de farine
1 jaune d'œuf
2 œufs moyens

♦ PÂTE A CHOUX ♦

Indispensable pour la confection des éclairs, des choux à la crème, des profiterolles et autres délices.

♦ **Préparation** 20 minutes ♦ **Cuisson** 25 minutes ♦ **Four** 200º-220º (6-7) ♦

Dans une grande casserole, faites bouillir l'eau, le sel et le beurre. Ôtez du feu et jetez-y la farine d'un seul coup. Remuez jusqu'à ce que la pâte se détache de la casserole et de la spatule.

Ajoutez alors le jaune d'œuf et travaillez énergiquement (au batteur, si nécessaire) jusqu'à parfaite incorporation. C'est de ce premier œuf que dépend toute l'élasticité de la pâte. Ajoutez l'un après l'autre les deux œufs restants, en mélangeant bien à chaque fois. Travaillez encore 2 minutes après obtention de la consistance souhaitée. La pâte se raffermit légèrement. Laissez ensuite reposer 15 à 20 minutes.

◆ PÂTE FEUILLETÉE 4 TOURS ◆

La pâte feuilletée peut se préparer de diverses façons. Sa finesse dépendra de la quantité de beurre employée et du nombre de tours donnés. Pour soigner son apparence, n'omettez pas de la badigeonner d'œuf battu avant de la passer au four.

◆ **Préparation** 1 h 45-2 h ◆ **Four** 220⁰ (7) ◆

INGRÉDIENTS
(pour 900 g de pâte)
450 g de farine
une bonne pincée de sel
350 g de beurre ou 175 g de beurre et 175 g de saindoux
1 cuil. à café de jus de citron
27,5 cl d'eau froide

Mélangez farine et sel après avoir divisé la matière grasse en quatre portions égales. Prenez l'une de ces portions que vous incorporerez à la farine. Ajoutez le citron et l'eau. Travaillez le tout pour obtenir une pâte homogène. Étalez-la ensuite sur la planche farinée pour en faire un rectangle trois fois plus long que large. Prenez maintenant une deuxième portion de matière grasse que vous étalerez sur les deux tiers de votre rectangle. Rabattez le tiers restant sur la moitié du rectangle, puis repliez l'autre bord de la pâte de manière à obtenir un carré grossier. Frappez ce carré avec le rouleau. Enveloppez dans un sac en plastique et laissez reposer 15 minutes au réfrigérateur.

Replacez le carré, bords rabattus face à vous, sur la planche. Étalez à nouveau en forme de rectangle et répétez l'opération avec la troisième portion de matière grasse. Laissez reposer à nouveau 15 minutes au réfrigérateur, puis répétez l'opération avec la dernière portion de matière grasse. Enveloppez et laissez reposer la pâte, au frais, durant 45 minutes à 1 heure avant de l'utiliser.

◆ PÂTE FEUILLETÉE 6 TOURS ◆

Idéale pour les vol-au-vent et les pâtisseries fines.

◆ **Préparation** 4 h ◆ **Four** 230° (7) ◆

INGRÉDIENTS
(pour 900 g de pâte)
450 g de farine
1 cuil. à café de sel
450 g de beurre
1 cuil. à café de jus de citron
8 cl environ d'eau fraîche

Dans une terrine, mélangez farine et sel. Ajoutez 50 g de beurre en morceaux et travaillez jusqu'à obtention d'une pâte friable. Ajoutez ensuite le jus de citron et l'eau. La consistance de la pâte doit être proche du beurre ramolli. Faites-en une boule.

Avec le beurre restant que vous envelopperez dans un torchon fariné, formez un rectangle.

Prenez maintenant la boule de pâte et donnez-lui la forme d'un rectangle sensiblement plus large que le premier et deux fois plus long. Sur une moitié de pâte, placez le beurre que vous recouvrirez avec l'autre moitié. Rabattez les bords au rouleau. Laissez reposer au frais pendant 15 à 20 minutes.

Étalez la pâte pour en faire un rectangle trois fois plus long sans en modifier la largeur. Abaissez régulièrement afin que le beurre soit bien réparti. Pliez en trois et rabattez les bords au rouleau. Enveloppez dans un sac plastique graissé et laissez reposer au frais pendant 30 minutes.

Reprenez votre pâte, bords rabattus face à vous. Étalez-la de nouveau et repliez-la en trois. Laissez reposer 30 minutes au frais. Répétez l'opération quatre fois encore en laissant reposer 30 minutes entre chaque tour, et avant de monter la pâtisserie.

INGRÉDIENTS
(pour 450 g de pâte)
225 g de farine
une bonne pincée de sel
175 g de beurre
1 jaune d'œuf
10 g de sucre en poudre
1/4 à 1/2 verre d'eau

♦ PÂTE SABLÉE ♦

Cette pâte convient fort bien aux fruits rouges.

♦ **Préparation** 15 minutes ♦ **Four** 200°-180° (6-4) ♦

Sur la planche, mélangez farine et sel. Ajoutez le beurre en morceaux et travaillez le tout jusqu'à obtenir une pâte friable. Faites un puits et placez-y le jaune d'œuf. Versez le sucre en pluie. Puis, à l'aide d'un couteau, mélangez l'ensemble.

Ajoutez l'eau très progressivement afin d'obtenir une pâte ferme, mais souple. Pétrissez encore un peu, puis enveloppez-la dans un torchon et laissez-la reposer au réfrigérateur 15 minutes minimum.

Faites cuire le fond de tarte, recouvert de papier sulfurisé et de haricots secs, 15 minutes au four chauffé à 200° (6), puis ôtez haricots et papier sulfurisé et laissez dorer durant 10 minutes au four baissé à 180° (4).

♦ PÂTE FEUILLETÉE RAPIDE ♦

Cette pâte, un peu moins fine que les précédentes,
se prépare néanmoins un peu plus vite.
♦ **Préparation** 1 h 30-1 h 45 ♦ **Four** 230° (7) ♦

INGRÉDIENTS
(pour 450 g de pâte)
225 g de farine
une pincée de sel
175 g de beurre ou 80 g de
   beurre et 90 g de saindoux
1/2 cuil. à café de jus de citron
3 à 4 cl. d'eau fraîche

Dans une terrine, mélangez farine et sel. Fractionnez la matière grasse en petits morceaux et incorporez-la à la farine en vous servant d'une spatule. Faites un puits et ajoutez jus de citron et eau afin d'obtenir une pâte élastique.

Sur la planche farinée, étalez-la en rectangle. Pliez-la en trois, rebords face à vous.

Répétez cette opération à trois reprises en laissant reposer 15 minutes à chaque fois. Veillez à laisser au frais durant 15 minutes avant d'utiliser la pâte.

♦ PÂTE BRISÉE ♦

Cette pâte convient fort bien à la confection de diverses tartes.
Pour les plats salés, ajoutez éventuellement une pincée d'herbes
sèches lors du pétrissage. Pour la cuisson, protégez la pâte avec
un papier sulfurisé recouvert de haricots secs.
♦ **Préparation** 20 minutes ♦ **Four** 200°-220° (6-7) ♦

INGRÉDIENTS
(pour 350 g de pâte)
225 g de farine
une pincée de sel
50 g de margarine ou de beurre
50 g de saindoux
1/2 verre d'eau

Dans une terrine, mélangez farine et sel. Fractionnez la matière grasse en petits morceaux que vous incorporerez à la farine jusqu'à obtention d'une pâte friable. Petit à petit, ajoutez l'eau en travaillant à la fourchette. Votre pâte doit offrir une consistance ferme, mais souple.

Pétrissez rapidement. Enveloppez dans un torchon humide et laissez reposer au réfrigérateur pendant au moins 15 minutes.

INDEX

♦ REMERCIEMENTS ♦

Remerciements de l'auteur
Je tiens à remercier Sam Twining et le Tea Council, pour leurs précieux renseignements concernant le thé ; Lucinda Elborne et Joan Mulrooney pour l'aide qu'elles m'ont apportée lors de la préparation des gâteaux et de la mise en pratique d'idées nouvelles ; Stephen Harvey pour m'avoir soutenue dans mes recherches historiques et prêté du matériel d'époque. Pam Norris, qui m'a incitée à écrire le présent ouvrage, a aussi collaboré à sa rédaction. Qu'elle en soit remerciée.
J'adresse un clin d'œil complice à David Holmes et Clifford Lee, mes partenaires du Tea-Time, avec qui j'ai partagé maints fous rires, et qui ont si bien su m'encourager.
Merci enfin à tout le personnel du Tea-Time, pour avoir mis les bouchées doubles, tandis que j'étais tout entière absorbée par la tâche que je m'étais assignée.

Les éditions Dorling Kindersley souhaitent remercier
Pamela Norris, sans qui ce livre n'aurait pas vu le jour, la Royal Worcester Spode and Chinacraft, 130 New Bond Street, London W1, pour avoir prêté les assiettes et les tasses de porcelaine photographiées dans cet ouvrage, Twinings, et tout spécialement Sam Twinings, pour son aide précieuse.

Photographies James Murphy
Préparation des mets avant photographies Nigel Slater
Stylistes Andrea Lampton, Sarah Wiley
Illustrations Antonia Enthoven